JN131722

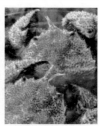

寿豚とは、
何県のブランド豚？

観光特産

Tourism specialties of Japan

公式ガイド

やせうまって、
何県のお菓子？

日本の美味・名品を知れば、
旅が100倍楽しくなる!!

全国観光特産検定

（一社）日本観光文化協会
小塩 稲之 〔編著〕
全国観光特産研究会
〔執筆協力〕

はじめに

　日本には人が住み始めた頃からの歴史があります。この本では、その土地で食べられてきたもの、生活のために作られてきたものなどを紹介しています。

　まず最初に、観光特産のクイズがありますので、ご自分がどこまで知っているか試してみてください。そこには、郷土料理、菓子、民芸品や工芸品など特産があります。そして、人の手が加わっていない、自然界からの産物である「特産物」なのか、人の手で加工された「特産品」なのか、なぜその土地で作られ、食べられて、また使われてきたのか、考えてみる面白さが分かると思います。

　その面白さは、たとえば、その土地の特産物や特産品を観光的な見方で見ると、地域で育んできた自然や景観、土地の生活に根付いた文化、伝統的な歴史などの違いを見ることができるのではないでしょうか。それは、それぞれが独立しているのではなく、互いに関係を持ちながら生き生きと息づいているのです。また、そのことは芸術という観点で見ても面白いかもしれません。

　さて、このようにクイズを解いて特産物や特産品に興味を持ったら、その面白さを「観光」という視点からみてみましょう。そのヒントになるものに、「観光５資源体系」（略＝観光５資源）として、日本観光文化協会が提供している観光にかかわる地域資源を整理したものがあります。これを知って日本各地にある地域の資源、観光資源としての「観光特産」の面白さに気づくと、旅行の楽しさがもっと、もっと広がると思います。この「観光５資源」を理解すると、モノやコトで成り立つ、その土地にある地域資源を整理することができます。観光特産の良さは、「現地で食べる、現地で体験すること」が本当の意味で大切なことに気がつきます。できるならば、その土地の空気を吸い、山や川や、海、景色などを楽しみ、現地で味わうことが大切なのです。

日本観光文化協会では、日本各地の観光特産を再発見、再発掘するとともに、時代にあった持続可能な地域活性化を後押しするため、「日本観光特産大賞」を設けて、各地の観光特産を毎年、表彰しています。

　ここで、「観光特産とは何か」をあらためて示しますと、

$$観光特産　＝　観光資源　×　地域特産$$

ということです。
これは「観光資源と地域特産の融合によって生み出された商品及びサービス」という意味です。
　20世紀に発展した観光も、人々の行動が変化し「見る」観光から、「食べる」「買う」という要素がますます強くなっていることで、地域の特産や名物料理などが人気になっています。またその歴史的、文化的要素が重要となり、全国的に新たな特産開発が盛んに行われています。

　さて、日本観光文化協会は全国観光特産検定を行っています。これは、観光、郷土料理、そして地域特産の全国版の検定です。自分自身の実力を試すだけでなく、観光や流通、フードビジネス業界などへの就職、あるいは地域振興などのビジネスにも活かしていただけます。

　この本をお役立ていただければ幸いです。

2024年1月

一般社団法人日本観光文化協会会長

小塩　稲之

※本書に記載している特産名の表記、料理材料、調理方法などについては、地域や資料により異なっている場合がございます。本書では、執筆者の調査に基づいた記載となっていることをご了承ください。

Contents

第1章　検定にも役に立つ！ 旅行も10倍楽しくなる！
観光特産ドリル

第2章　ピックアップ 全国各地の美味しい特産！

第3章　各県・各地域の特徴を知る！
日本の観光特産めぐり

Contents

全国観光特産検定とは？　～検定の概要～

　全国観光特産検定とは、(一社)日本観光文化協会が認定するわが国唯一の「観光特産士検定資格」。

　「食と伝統と技」、あるいは「その土地ならではの特産」とそれに関連する観光や地理、歴史、文化を対象に、一定の知識をもった人に合格証を付与する検定試験です。

◆検定の特徴

　この検定を主催する（一社)日本観光文化協会は、わが国で唯一、スペシャリストやプロフェッショナルの「観光コーディネーター」の資格を認定している団体です。全国観光特産検定は「地域資源をより深く広く普及することを目的」に実施されています。

◆受検資格

　学歴・年齢・性別・国籍など、受検に際しての制限はありません。検定は観光特産士1級から4級までで、正解率70％以上で合格（4級・3級は70問出題）。3級検定からの受検もできますが、4級、3級は併願も可能となっています。

◆試験時期

　毎年、春期（6月）と秋期（11月）の年2回実施。

特に、次のような方々には観光特産士4級、3級検定の受検をおすすめしたいと思います。

- ・　観光特産品を見て歩くのが大好き！
- ・　デパートでやっている観光物産展などには出向いてしまう。
- ・　つい語ってしまうほど、観光特産の知識には自信がある！
- ・　単なる観光特産好きの人よりも一歩リードしたい！
- ・　いつかは「日本の特産めぐり」をしたい！
- ・　観光特産品の魅力をもっと知りたい！

　高校生、専門学校生、大学生の方には、観光産業、流通・サービス業界において必要となる知識や能力を認定する資格として、さらに就職に有利な資格となるように目指してゆきたいと考えています。

◆観光特産のスペシャリストを目指す方へ
　観光特産士の最上級レベルとしての「1級検定」では、関連業界の知識を身につけたい方、本格的に観光特産の基礎を学びたい方、メーカー、小売り、問屋に従事する人をはじめ流通業の方、旅行業関連企業に勤める企業内スペシャリスト、農商工観光のコーディネータとして、観光特産の仕掛け人を目指す方などにも、幅広い付加価値を提供し、観光、地域ブランドの強化と地域振興に役立つ内容になっています。

第1章

観光特産ドリル

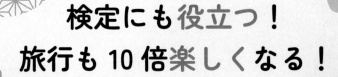

検定にも役立つ！
旅行も 10 倍楽しくなる！

絶対に味わっておきたい！！

日本各地の特産

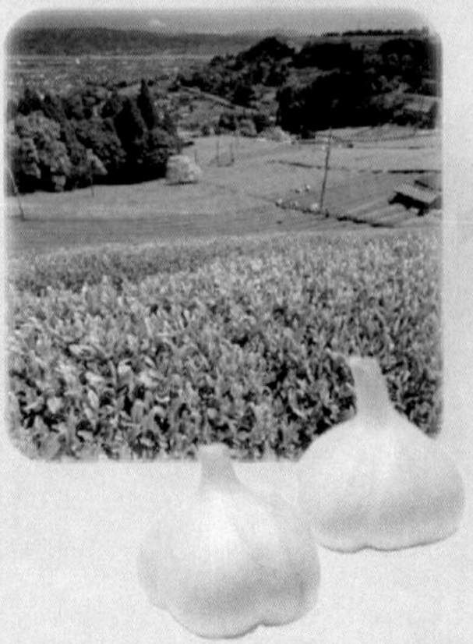

地域の自然や風土に根づき、
「そこだからこそ美味しい！」とされる特産物・特産品。
各地で収穫・生産される品々の
名前と特徴がわかる24問を出題！

問題 3

③の地域の特産で、最も適切と思われるものはどれか選びなさい。

㋐川根茶　　㋑村上茶
㋒狭山茶　　㋓八女(やめ)茶

問題 5

⑤の地域の特産で、最も適切と思われるものはどれか選びなさい。

㋐コーチン　　㋑アマダイ
㋒シューマイ　　㋓スモモ

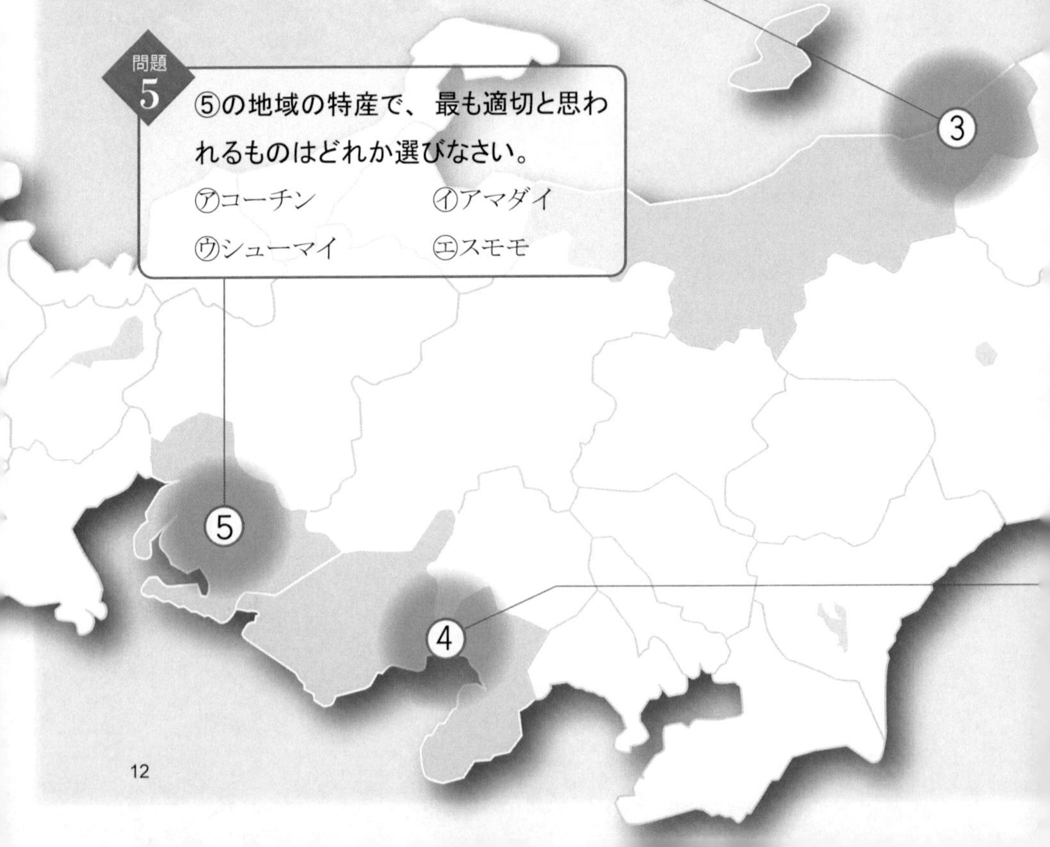

問題
1

①の地域の特産で、最も適切と思われるものはどれか選びなさい。

㋐真崎わかめ　　㋑真昆布

㋒カタクチイワシ　㋓八幡いも

問題
2

②の地域の特産で、最も適切と思われるものはどれか選びなさい。

㋐コンニャク　　㋑かんぴょう

㋒ニンニク　　㋓ラッキョウ

問題
4

④の地域の特産で、最も適切と思われるものはどれか選びなさい。

㋐ホッケ　　㋑イカ

㋒サクラエビ　　㋓ブリ

⑨の地域の特産で、最も適切と思われるものはどれか選びなさい。

㋐五色豆 　　　　　　㋑にしんそば

㋒五島手延べうどん　㋓しょうゆ豆

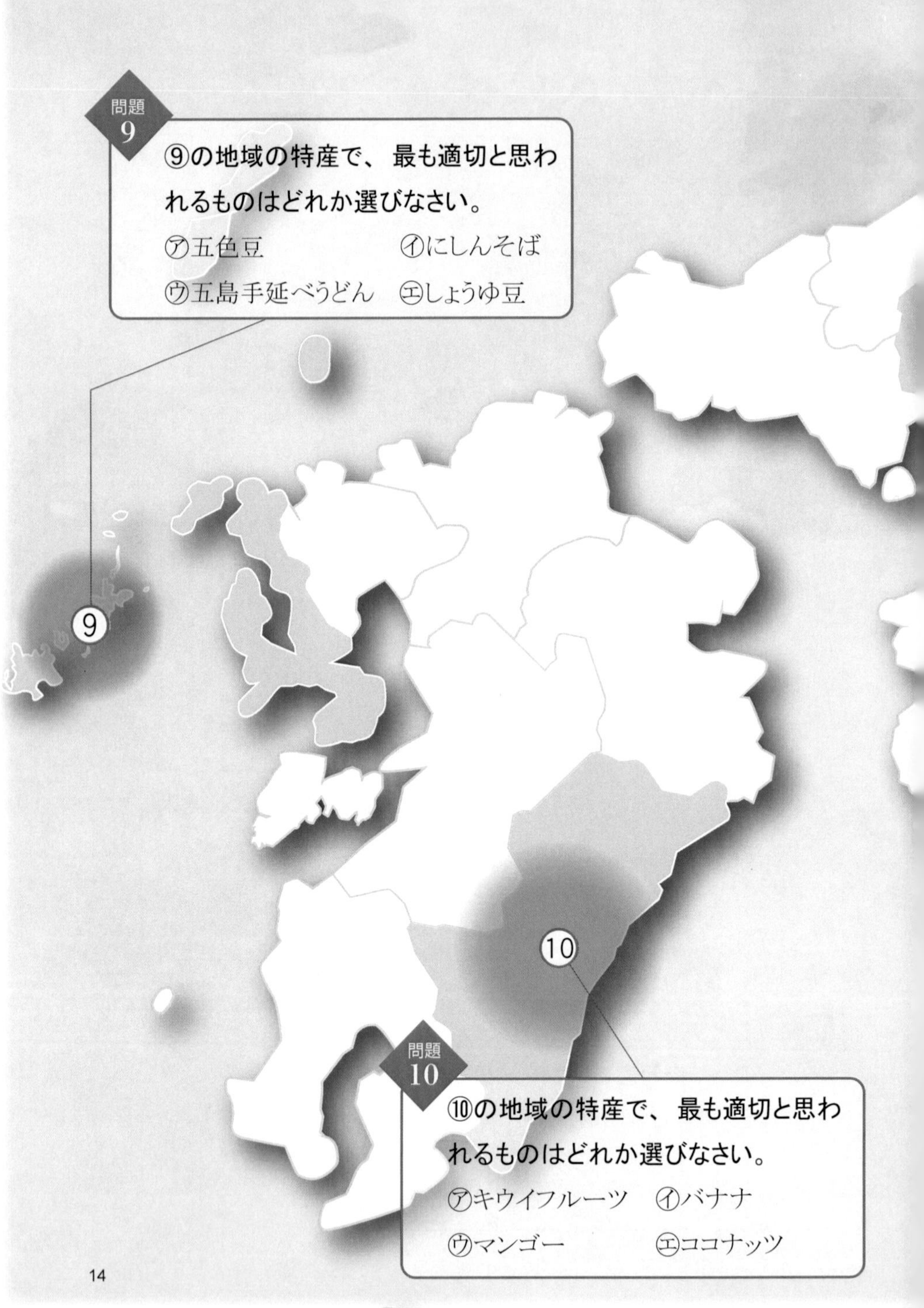

⑨

⑩

⑩の地域の特産で、最も適切と思われるものはどれか選びなさい。

㋐キウイフルーツ　㋑バナナ

㋒マンゴー　　　　㋓ココナッツ

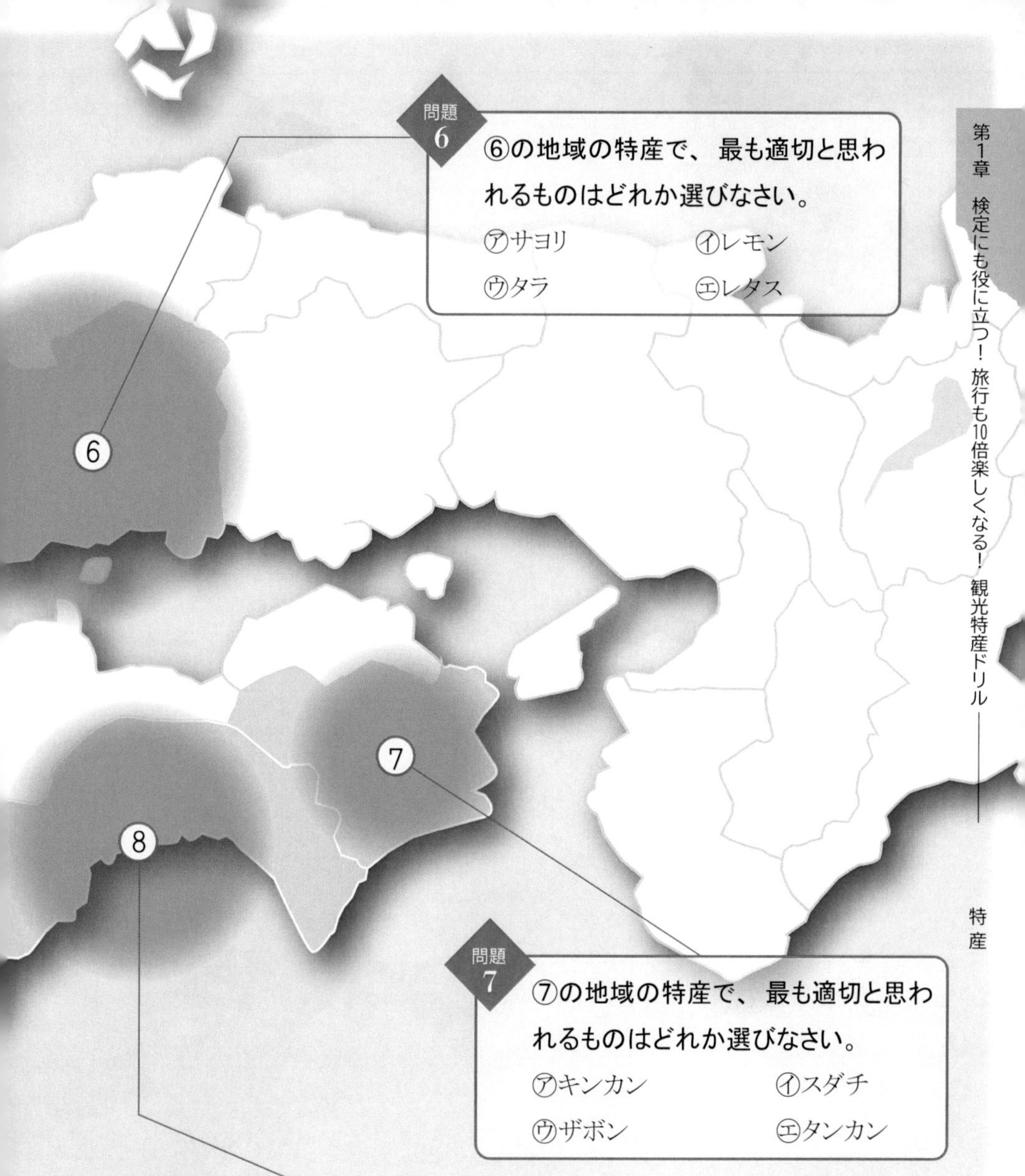

問題
6

⑥の地域の特産で、最も適切と思われるものはどれか選びなさい。

㋐サヨリ　㋑レモン
㋒タラ　㋓レタス

問題
7

⑦の地域の特産で、最も適切と思われるものはどれか選びなさい。

㋐キンカン　㋑スダチ
㋒ザボン　㋓タンカン

問題
8

⑧の地域の特産で、最も適切と思われるものはどれか選びなさい。

㋐土佐文旦　㋑甘夏
㋒伊予柑　㋓八朔

問題 11 加賀れんこんが特産のところはどこか選びなさい。

㋐ 石川県
㋑ 愛知県
㋒ 滋賀県
㋓ 京都府

問題 12 お茶の生産量が国内随一のところはどこかを選びなさい。

㋐ 静岡県
㋑ 埼玉県
㋒ 鹿児島県
㋓ 三重県

問題 13 干し柿として有名な「市田柿」が特産のところはどこか選びなさい。

㋐ 長野県
㋑ 岐阜県
㋒ 静岡県
㋓ 新潟県

問題 14 有明海にいる赤紫のウナギのような魚で、鋭い歯をもち、目は退化している魚は何か選びなさい。

㋐ ムツゴロウ
㋑ ワラスボ
㋒ コノシロ
㋓ ガンヅケ

問題 15 北海道の池田町で有名な特産は何か選びなさい。

㋐ ラベンダー

㋑ ウィスキー

㋒ ワイン

㋓ 日本酒

問題 16 「氷見(ひみ)ぶり」で有名なところはどこか選びなさい。

㋐ 福井県

㋑ 富山県

㋒ 鳥取県

㋓ 島根県

問題 17 加工ウニで知られる「北浦うに」があるところはどこか選びなさい。

㋐ 岩手県

㋑ 宮城県

㋒ 福井県

㋓ 山口県

問題 18 「ひとめぼれ」の生産で知られる米どころはどこか選びなさい。

㋐ 岩手県

㋑ 宮城県

㋒ 福井県

㋓ 山口県

問題 19 火の国といわれ、「馬刺し」が有名なところはどこか選びなさい。

　　ⓐ　鹿児島県

　　ⓘ　岩手県

　　ⓤ　長野県

　　ⓔ　熊本県

問題 20 寿_{ことぶき}豚_{とん}が有名なところはどこか選びなさい。

　　ⓐ　宮崎県

　　ⓘ　徳島県

　　ⓤ　沖縄県

　　ⓔ　兵庫県

問題 21 畑のキャビアといわれる「とんぶり」が特産のところはどこか選びなさい。

　　ⓐ　秋田県

　　ⓘ　福島県

　　ⓤ　新潟県

　　ⓔ　長野県

問題 22 肉よりもその他の部位（7つ道具）のほうが旨いといわれる変わった魚で、「吊るし切り」という伝統の解体法が用いられる。また、見た目と食感から「海のフォアグラ」ともいわれて美味として珍重されている北茨城地方で人気の魚は何か選びなさい。

　　ⓐ　カサゴ

　　ⓘ　タラ

　　ⓤ　ハモ

　　ⓔ　アンコウ

問題23 「クラウンメロン」で有名なところはどこか選びなさい。

- ㋐ 福島県
- ㋑ 静岡県
- ㋒ 岡山県
- ㋓ 兵庫県

問題24 「間人ガニ」で有名なところはどこか選びなさい。

- ㋐ 北海道
- ㋑ 新潟県
- ㋒ 京都府
- ㋓ 島根県

絶対に味わっておきたい！
日本各地の特産　解説編

真昆布

問題1　　イ 真昆布

北海道では昆布が特産で、真昆布の他にも数種類ある。真崎わかめは、岩手県宮古市周辺で水揚げされる。八幡いもは山梨県甲斐市八幡付近で収穫されるサトイモ。

田子にんにく

問題2　　ウ ニンニク

青森県の田子はニンニクの町として有名。田子にんにくは、食べてもいやなにおいの残らないニンニクとして開発された。

村上茶

問題3　　イ 村上茶

新潟県の村上市で生産される村上茶は、集団的栽培の生産地としては北方にあり、寒冷地向きにできた混合茶樹で栽培されている。川根茶は静岡県、狭山茶は埼玉県、八女茶は福岡県の特産。

サクラエビ

問題4　　ウ サクラエビ

静岡県にある駿河湾の由比ヶ浜で水揚げされる体長4センチほどのピンク色をしたサクラエビは、全国でもここでのみ収穫される小型エビとして知られている。

問題5 ㋐ コーチン

愛知県の名古屋コーチンは全国的に有名な地鶏。肉質、産卵能力に優れるなどに長所をもち、全国的に知られる。

コーチン

問題6 ㋑ レモン

広島県のレモンは100年以上の栽培の歴史があるといわれる。

広島県産レモン

問題7 ㋑ スダチ

スダチは徳島県を代表する特産のひとつで、徳島県の花にも指定されている。正答以外のキンカン、ザボン、タンカンもすべてミカン科の植物。

徳島県産スダチ

問題8 ㋐ 土佐文旦（とさぶんたん）

土佐文旦は、高知県で栽培されているザボンの一種。日本には江戸時代初期に渡来したとされる。正答以外の甘夏、伊予柑、八朔（はっさく）もすべてミカン科の植物。

土佐文旦

問題9 ㋒ 五島手延うどん

五島手延うどんは長崎県の五島列島でつくられるうどん。7世紀、遣唐使の時代に伝わったとされる。

五島手延うどん

21

マンゴー

問題10　ウ マンゴー

宮崎県のマンゴーは完熟させるために樹上で熟し、自然に落ちたものだけを収穫するといわれる。宮崎県でマンゴー栽培が始まったのは、1970年代の半ばとされている。

加賀れんこん使用の酢レンコン

問題11　ア 石川県

石川県におけるレンコンの栽培は加賀藩の時代にさかのぼるといわれる。

牧之原市の茶畑

問題12　ア 静岡県

静岡県はお茶の生産量が国内第1位の生産地。2009年の場合には全生産量の40％が静岡県で、鹿児島県の28％、三重県の8％と続いている。

市田柿

問題13　ア 長野県

長野県南部で栽培される市田柿は、渋柿を熟成させた保存食としての干し柿。14世紀頃から現在の長野県で栽培されているといわれる。

ワラスボ

問題14　イ ワラスボ

ワラスボは、佐賀県にある有明海の干潟の珍味。干物や揚げ物として食される。ヘビのように長く、大きいものだと30センチにもなる。ムツゴロウも有明海に生息しているが、目は退化していない。

問題 15　　ⓤ ワイン

池田町はワインで知られ、ワイングラス噴水がある。ラベンダーは、池田町と同じ北海道の富良野市で有名。

池田町産ワイン

問題 16　　ⓘ 富山県

富山県の氷見港で収穫されることで有名。11 ～ 3月には特に脂がのっているとされ「寒ブリ」として提供されている。

氷見ぶり

問題 17　　ⓔ 山口県

「北浦うに」は山口県の北浦地区（萩市から下関市北部）を加工地とする加工ウニ。同じく山口県の下関市を加工地とする「下関うに」とともに、加工ウニの生産地として知られている。

水揚げされたウニ使用の粒うに

問題 18　　ⓘ 宮城県

宮城県は太平洋沿岸部から奥羽山脈のふもとにかけて広大な平野部をもち、ササニシキ、ひとめぼれなどの稲作中心の農業が行われており、米どころとして有名。

ひとめぼれ

問題 19　　ⓔ 熊本県

古くから火の国といわれる熊本県では、馬肉は馬刺しだけでなく、カツ、ステーキ、煮込み、ホルモン焼き、馬タン塩焼き、握り寿司などにも料理される。

馬刺し

23

寿豚

問題20　ウ 沖縄県

寿豚は三元交配という3種類の品種を掛け合わせる方法によってできた、新しい沖縄のブランド豚。

ホウキギの実

問題21　ア 秋田県

秋田県の特産「とんぶり」は、アカザ科ホウキギ属の一年草ホウキギの実の加熱加工品。見た目や歯ざわりが似ていることから、畑のキャビアと呼ばれることもある。

茨城産アンコウ

問題22　エ アンコウ

アンコウは深海魚で見た目はグロテスクだが、骨以外はすべて食べることができる。

クラウンメロン

問題23　イ 静岡県

静岡県西部の遠州地方は世界でも屈指の明るい太陽の恵みを受けるメロンの好適地で、メロンに適した土と水が豊富にある。

間人ガニ

問題24　ウ 京都府

京都府丹後半島の間人港に水揚げされたズワイガニを間人ガニという。

伝統の味に舌鼓を打つ！

日本各地の郷土料理

収穫された物品の保存や、
他地域の料理の改良などから、
誕生したものが多い郷土料理。
先人たちの工夫と伝統がわかる24問を出題！

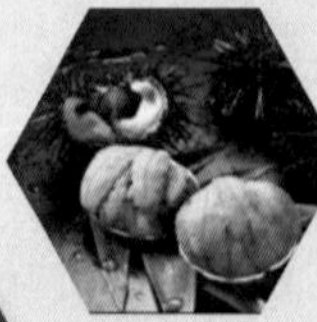

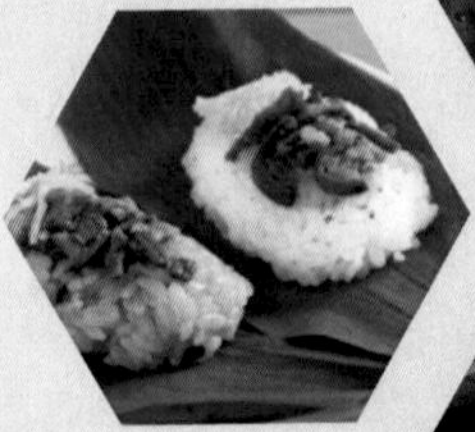

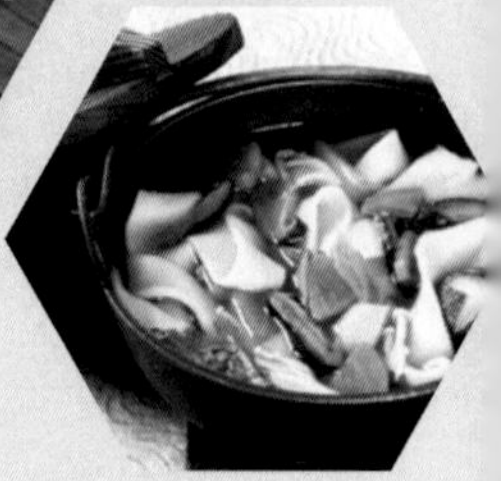

問題 4

[4]の地域の郷土料理で、最も適切と思われるものはどれか選びなさい。

㋐かぶら寿司　㋑あんこ寿司
㋒うずめ寿司　㋓てこね寿司

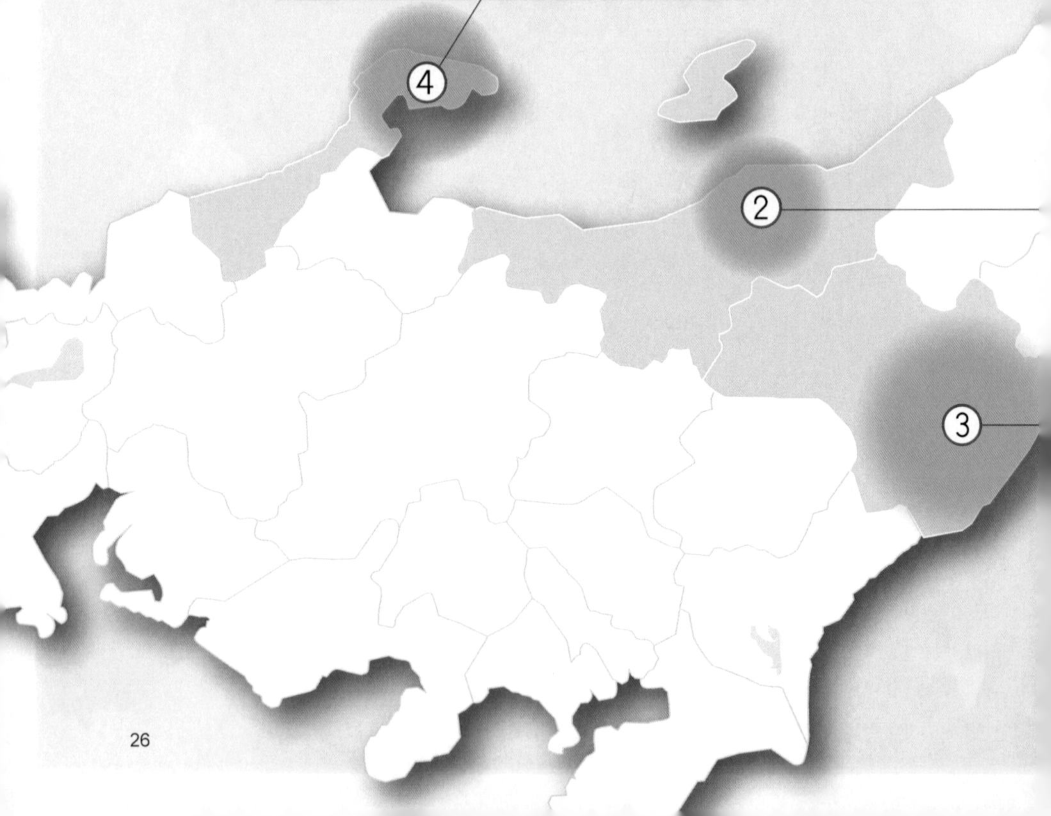

問題
1

①の地域の郷土料理で、最も適切と
思われるものはどれか選びなさい。

㋐にしん漬け　　㋑金婚漬け

㋒おみ漬け　　　㋓すんき漬け

問題
2

②の地域で最も適切と思われる郷土
料理はどれか選びなさい。

㋐わっぱ煮　　　㋑須磨海苔

㋒ローメン　　　㋓もってのほか

問題
3

③の地域の郷土料理で、最も適切と
思われるものはどれか選びなさい。

㋐ウコギ料理　　㋑頭巾はずし

㋒佐野ラーメン　㋓ジンギスカン

27

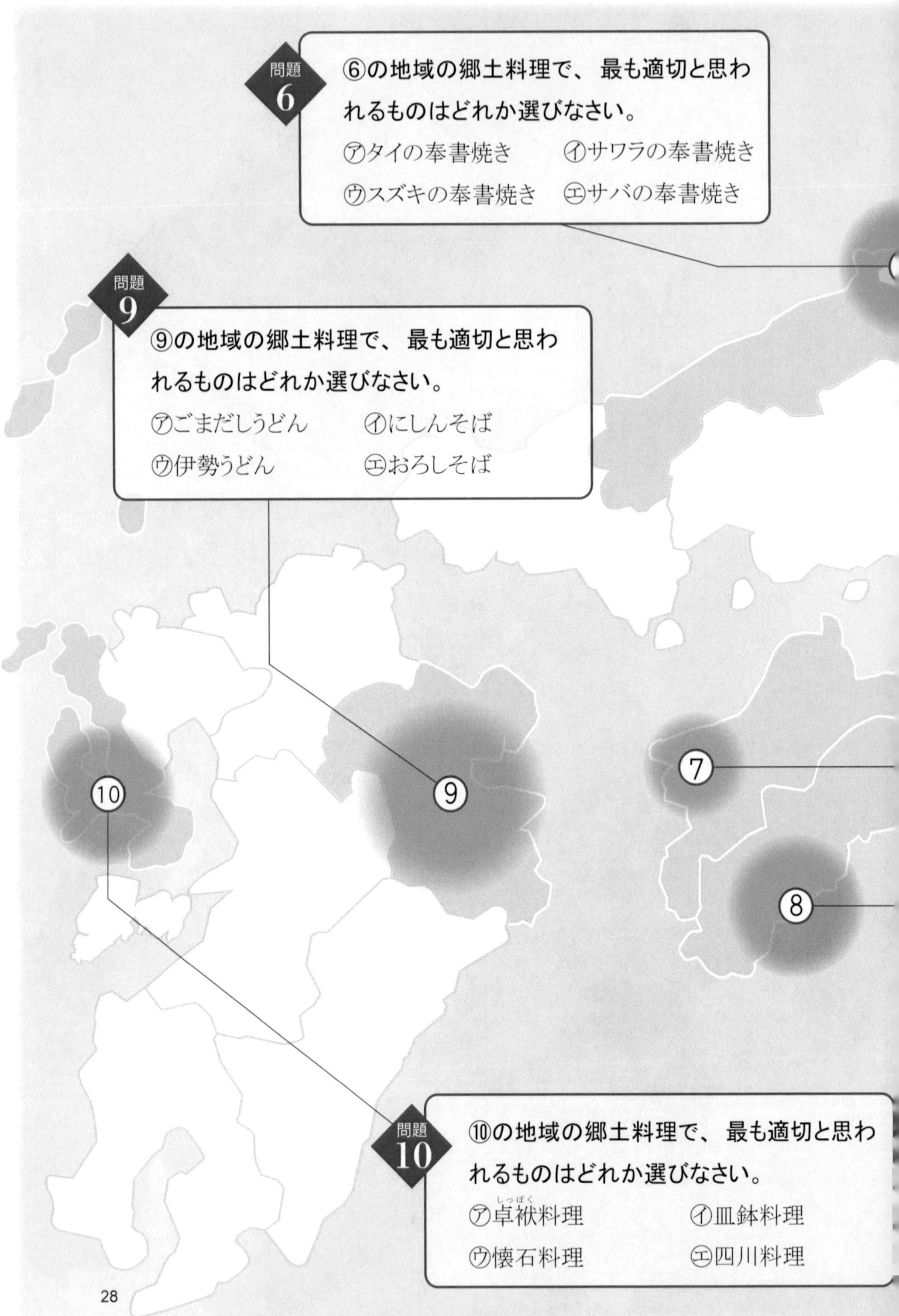

問題 6

⑥の地域の郷土料理で、最も適切と思われるものはどれか選びなさい。

㋐タイの奉書焼き　㋑サワラの奉書焼き

㋒スズキの奉書焼き　㋓サバの奉書焼き

問題 9

⑨の地域の郷土料理で、最も適切と思われるものはどれか選びなさい。

㋐ごまだしうどん　㋑にしんそば

㋒伊勢うどん　㋓おろしそば

問題 10

⑩の地域の郷土料理で、最も適切と思われるものはどれか選びなさい。

㋐卓袱(しっぽく)料理　㋑皿鉢料理

㋒懐石料理　㋓四川料理

問題 **5**

⑤の地域の郷土料理で、最も適切と思われるものはどれか選びなさい。

㋐ひきわり納豆　　㋑一休寺納豆
㋒水戸納豆　　　　㋓そぼろ納豆

⑤

問題 **7**

⑦の地域の郷土料理で、最も適切と思われるものはどれか選びなさい。

㋐黒はんぺん　　　㋑じゃこてん
㋒でこまわし　　　㋓さつまあげ

問題 **8**

⑧の地域の郷土料理で、最も適切と思われるものはどれか選びなさい。

㋐クロメ料理　　　㋑サワラ料理
㋒皿鉢料理　　　　㋓あたま料理

29

問題 11

北関東地方に分布する伝統の郷土料理で、サケの頭と野菜、大根おろしを混ぜた料理で、初午（はつうま）の日につくり、赤飯とともに稲荷神社に供えるという行事食はどれか選びなさい。

㋐ しもつかれ
㋑ つゆじ
㋒ けの汁
㋓ おっきりこみ

問題 12

郷土料理として「わんこそば」が有名なところはどこかを選びなさい。

㋐ 宮城県
㋑ 福島県
㋒ 岩手県
㋓ 長野県

問題 13

皿に並べた様子から「牡丹の花」と呼ばれ、梅肉や酢味噌で食す魚は何かを選びなさい。

㋐ マス
㋑ ハモ
㋒ アンコウ
㋓ フグ

問題 14

他の地域では「いとこ煮」とか「煮入れ」とも呼ばれ、広島県の広島湾沿岸から芸北地域でつくられる野菜の煮物で、必ず小豆が入っている郷土料理は何か選びなさい。

㋐ 煮しめ
㋑ 煮ごみ
㋒ 煮づめ
㋓ 煮ごめ

問題15 熊野地方および吉野地方の郷土料理で、高菜の浅漬けの葉でくるんだおにぎりは何か選びなさい。

　　㋐　柿の葉寿司

　　㋑　めはり寿司

　　㋒　なれ寿司

　　㋓　おまん寿司

問題16 新潟県村上市の郷土料理でサケの心臓の煮付けのことで、独特のコクがある料理は何か選びなさい。

　　㋐　とびっこ煮

　　㋑　とんぶり煮

　　㋒　どんびこ煮

　　㋓　とび煮

問題17 北関東県の郷土食の一種で、まんじゅうを竹串に刺し、黒砂糖や水飴で甘くした濃厚な味噌だれを裏表に塗って火にかけ、焦げ目をつけたものは何かを選びなさい。

　　㋐　おやき

　　㋑　焼きまんじゅう

　　㋒　五平餅

　　㋓　けんさ焼き

問題18 宮城県地方の郷土料理「はらこ飯」の「はらこ」とは何かを選びなさい。

　　㋐　イクラ

　　㋑　トビコ

　　㋒　カズノコ

　　㋓　タラコ

問題 19

酢飯に酢で締めたサバをのせ、さらに白板昆布を重ねた押し寿司。押し寿司の舟形の木枠がポルトガル語のボートに似ており、名付けられたといわれる郷土料理は何かを選びなさい。

㋐ めはり寿司
㋑ 茶巾寿司
㋒ かぶら寿司
㋓ ばってら

問題 20

「耳うどん」が郷土料理になっているところはどこか選びなさい。

㋐ 群馬県
㋑ 栃木県
㋒ 茨城県
㋓ 埼玉県

問題 21

殿様寿司ともいわれる押し寿司が郷土料理になっているところはどこか選びなさい。

㋐ 広島県
㋑ 石川県
㋒ 山口県
㋓ 愛媛県

問題 22

鹿児島県の郷土料理はどれか選びなさい。

㋐ 冷や汁
㋑ 鶏飯
㋒ おたぐり
㋓ ひきずり

問題
23

新潟県の郷土料理のひとつに「へぎそば」があるが、この「へぎ」とは何を指すのか選びなさい。

㋐ 舟

㋑ 盥（たらい）

㋒ 器

㋓ 木の皮

問題
24

北海道で「ザンギ」といえば、どんな食べ物か選びなさい。

㋐ から揚げの一種

㋑ コマイの姿焼き

㋒ 鹿肉の煮込み

㋓ ジャガイモの一種

第1章　検定にも役に立つ！ 旅行も10倍楽しくなる！ 観光特産ドリル────

郷土料理

観光特産ドリル

伝統の味に舌鼓をうつ！
日本各地の郷土料理　解説編

にしん漬け

問題1　㋐ にしん漬け

にしん漬けは、ニシンを漬け込んだ北海道の郷土料理。金婚漬けは岩手県、おみ漬けは山形県、すんき漬けは長野県でそれぞれつくられてきた漬け物。

わっぱ煮

問題2　㋐ わっぱ煮

新潟県の郷土料理「わっぱ煮」は、曲げわっぱの中に新鮮な焼いた魚、ネギ、味噌、水を入れ、よく熱した石を入れて石の熱でわっぱの中を煮る料理。須磨海苔は兵庫県、ローメンは長野県に伝わる麺料理、もってのほかは山形県で生産される食用菊。

頭巾はずし

問題3　㋑ 頭巾はずし

福島県の郷土料理「頭巾はずし」は、ダイコンの葉の塩漬けあるいは古漬けを刻んで納豆と混ぜ、辛子醤油で調味したもの。ウコギ料理は山形県、佐野ラーメンは栃木県、ジンギスカンは北海道。

かぶら寿司

問題4　㋐ かぶら寿司

石川県の郷土料理。なれ寿司の一種。塩漬けにしたカブに、やはり塩漬けにしたブリの薄切りをはさみ込み、細く切ったニンジンや昆布などとともに、米麹で漬け込んで醗酵させたもの。あんこ寿司は山口県、うずめ寿司は島根県、てこね寿司は三重県。

問題5　㋑ 一休寺納豆

京都府の一休寺納豆は糸を引かない塩納豆として、京田辺市にある一休寺の料理として知られる。

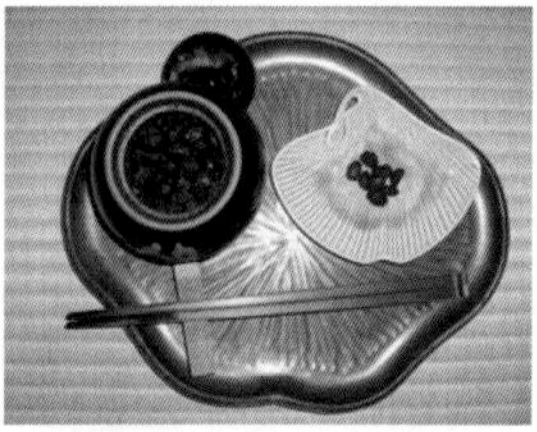
一休寺納豆

問題6　㋒ スズキの奉書（ほうしょ）焼き

春から秋に日本海から島根県の宍道湖（しんじこ）・中海に入ってくるスズキを奉書紙（和紙）で包んで焼く名物料理。

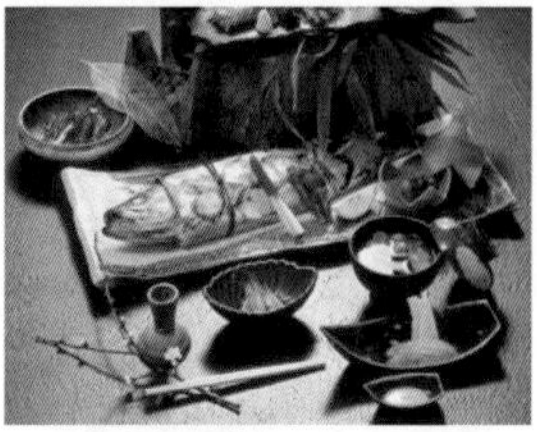
スズキの奉書焼き

問題7　㋑ じゃこてん

じゃこてんは愛媛県の郷土料理として有名だが、愛媛県だけでなく日本各地の漁港にそれぞれの郷土のじゃこてんがある。黒はんぺんは静岡県、でこまわしは徳島県、さつまあげは鹿児島県。

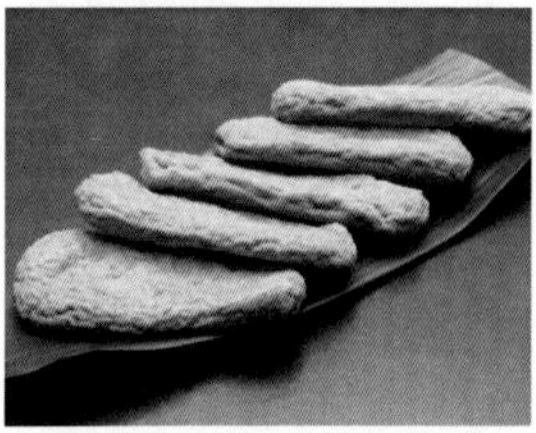
じゃこてん

問題8　㋒ 皿鉢料理（さわちりょうり）

高知県の郷土料理「皿鉢料理」は大きめの皿に刺身などを盛り合わせた宴席料理。クロメ料理は大分県、サワラ料理は岡山県、あたま料理は大分県の郷土料理。

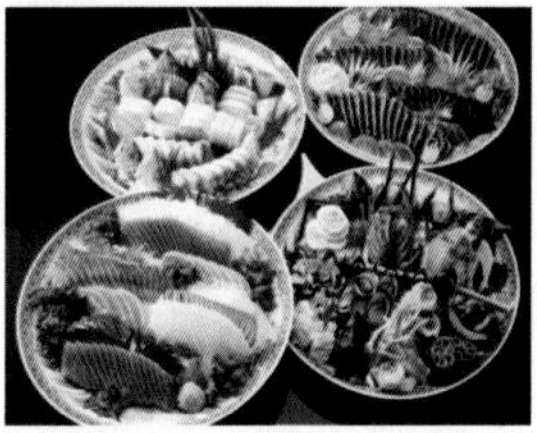
皿鉢料理

問題9　㋐ ごまだしうどん

大分県の郷土料理「ごまだしうどん」は、ゴマと焼き魚の身をすり潰したものを茹でたうどんの上にのせ、お湯で溶かして食べる。にしんそばは京都府など、伊勢うどんは三重県伊勢、おろしそばは福井県。

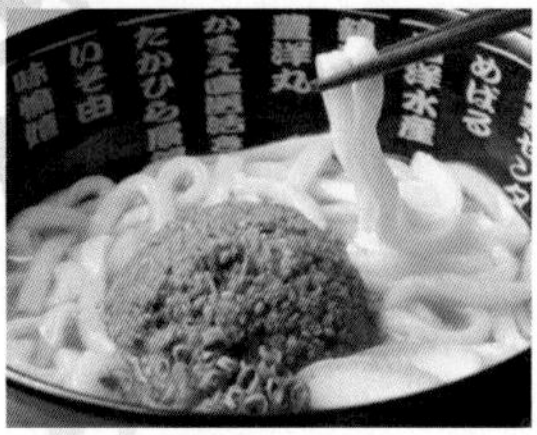
ごまだしうどん

卓袱料理

問題 10　㋐ 卓袱料理

長崎県発祥といわれる卓袱料理は、和華蘭料理とも評される宴会料理。中国料理や西欧料理が日本化した、大皿に盛られたコース料理を円卓を囲みながら味わう形式をもつ。

しもつかれ

問題 11　㋐ しもつかれ

栃木県、群馬県、茨城県などで食される伝統の郷土料理。つゆじは南会津町田島エリアでつくられるつと豆腐を使った汁物、けの汁は根菜や山菜を味噌で煮込んだ青森県周辺の汁物、おっきりこみは幅の広いうどんを野菜と煮込んだ埼玉県周辺のもの。

わんこそば

問題 12　㋑ 岩手県

わんこそばは岩手県に伝わる蕎麦料理のひとつで、代表的郷土料理。「わんこ」とは、岩手の方言でお椀を意味する。

ハモ

問題 13　㋑ ハモ

新鮮なハモをさっと湯通しし、すぐに氷水で冷やしたものをハモの落としという。このハモの落としは、牡丹の花のように見えることから、別名「牡丹鱧」といわれる。

煮ごめ

問題 14　㋔ 煮ごめ

広島県で食される精進料理の一種。野菜の煮物で、必ず小豆が入っている。他の地域では、いとこ煮、煮入れとも呼ばれる。「煮ごみ」は長崎県の郷土料理で、野菜や鶏肉などさまざまな具材をサイコロ状に切って煮込んだもの。

問題 15　⟨イ⟩ めはり寿司

地域により千貼り寿司、大葉寿司、高菜寿司、芭蕉葉寿司などと呼ばれる。柿の葉寿司はサバやサケなどの切り身を酢飯にのせ、柿の葉で包んだ和歌山県などで食される寿司。おまん寿司は青魚を開いて酢で締め、オカラを詰めたもの。島根県に伝わる。

めはり寿司

問題 16　⟨ウ⟩ どんびこ煮

どんびことはサケの心臓のこと。一尾のサケにひとつしかない「どんびこ」（心臓）を集め、甘辛く煮た貴重品。

どんびこ煮

問題 17　⟨イ⟩ 焼きまんじゅう

焼きまんじゅうは、群馬県の郷土食。おやきは長野県で食されるまんじゅうの一種で、中の具材にはいろいろなものが入る。五平餅は中部地方に伝わるご飯を潰して串焼きにしたもの。けんさ焼きは焼いたおにぎりを汁に浸して食べる新潟県の料理。

焼きまんじゅう

問題 18　⟨ア⟩ イクラ

はらこ飯は、炊いたご飯の上に、サケの身とイクラ（はらこ）をのせたもの。仙台駅や盛岡駅など東北各地で駅弁としても売られている。

はらこ飯

問題 19　⟨エ⟩ ばってら

ばってらは大阪の寿司。かぶら寿司は石川県に伝わるもので、ブリをカブではさみ込み米麹で発酵させた食べ物。

ばってら

耳うどん

問題20　㋑ 栃木県

栃木県の郷土料理。うどん類似の麺料理。一般的に食される細長いうどんではなく、平たい形にしたもの。鬼の耳に似ているとされ、食べることで厄除けになるともされた。

岩国寿司

問題21　㋒ 山口県

山口県の郷土料理「岩国寿司」は殿様寿司とも呼ばれ、魚介類とレンコンなどを酢飯にのせ、それを何層にも重ねてつくる押し寿司。

鶏飯

問題22　㋑ 鶏飯（けいはん）

鹿児島県の郷土料理「鶏飯」は、ご飯の上にほぐした鶏の身、干しシイタケ、錦糸卵（きんし）などをのせ鶏ガラからとっただし汁をたっぷりかけ食べる。おたぐりは長野県飯田市・伊那市（いな）周辺、ひきずりは愛知県の料理。冷や汁は各地で食されている。

へぎそば

問題23　㋒ 器

へぎそばとは、新潟県のつなぎに布海苔（ふのり）という海草を使った蕎麦のことで、へぎ（片木）という器に盛られることから名前がついたといわれる。

ザンギ

問題24　㋐ から揚げの一種

鶏肉などに小麦粉や片栗粉などを薄くまぶして油で揚げた一般的なから揚げの北海道内の呼び名だとされたりもするが、独自の味付けに特徴をもったザンギもある。

お土産にも喜ばれる！

日本各地のお菓子

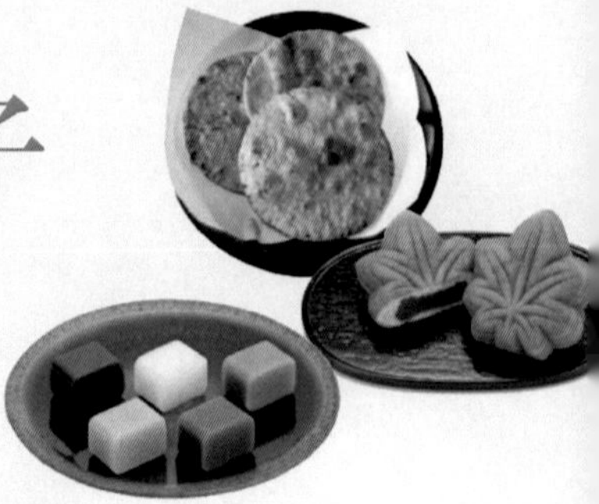

人々を和ませ、楽しい気分にさせてくれるお菓子。
和菓子として伝統的に伝わるものから、
地域の素材を活かした新製品まで、
甘さの誘惑に吸い寄せられる17問！

問題 5

⑤の地域の郷土菓子で、最も適切と思われるものはどれか選びなさい。

㋐梅ヶ枝餅　㋑三杯餅
㋒姥ヶ餅　㋓両棒餅（ちゃんぼもち）

問題 6

⑥の地域の郷土菓子で最も適切と思われるものはどれか選びなさい。

㋐いきなり団子　㋑みたらし団子
㋒かるかん　㋓ちんすこう

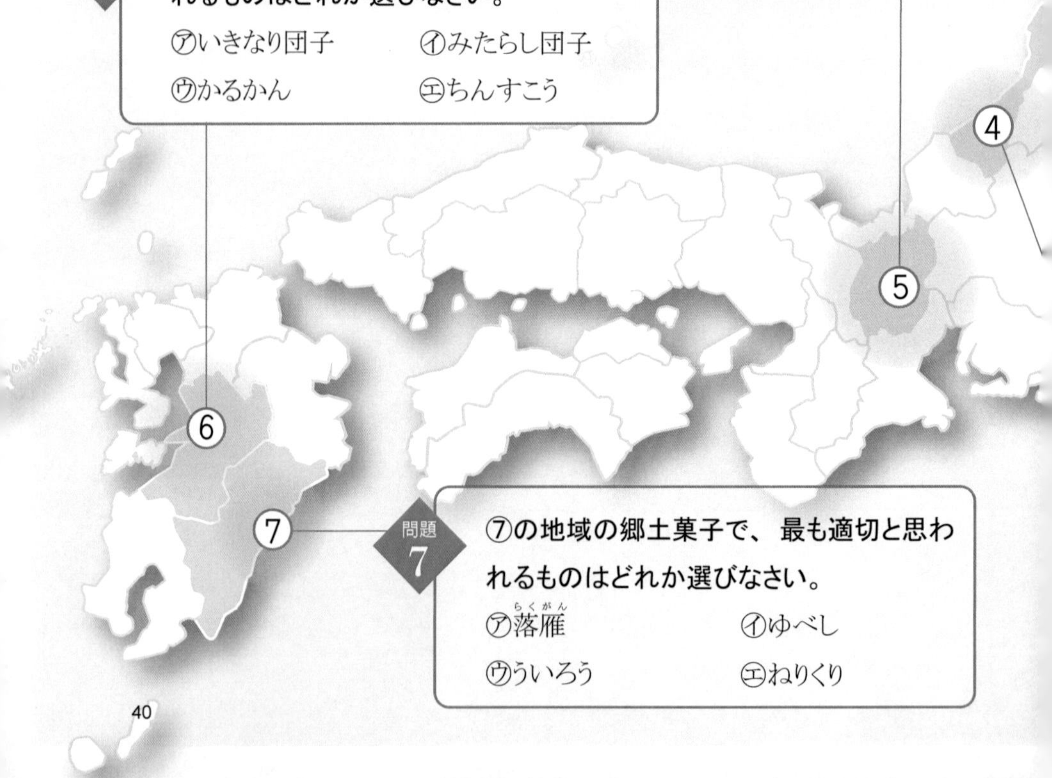

問題 7

⑦の地域の郷土菓子で、最も適切と思われるものはどれか選びなさい。

㋐落雁（らくがん）　㋑ゆべし
㋒ういろう　㋓ねりくり

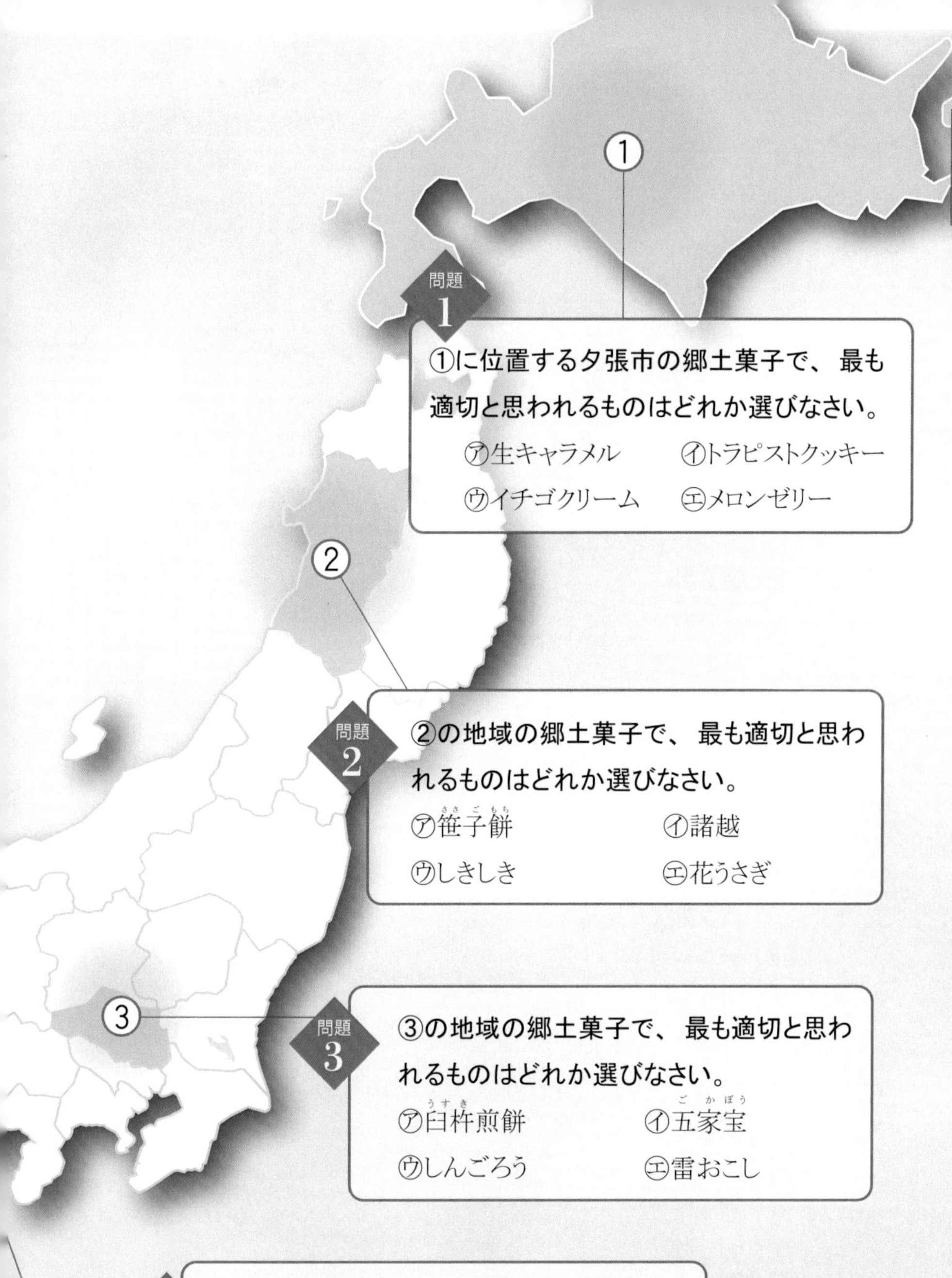

問題 1

①に位置する夕張市の郷土菓子で、最も適切と思われるものはどれか選びなさい。

㋐生キャラメル　㋑トラピストクッキー
㋒イチゴクリーム　㋓メロンゼリー

問題 2

②の地域の郷土菓子で、最も適切と思われるものはどれか選びなさい。

㋐笹子餅(ささごもち)　㋑諸越
㋒しきしき　㋓花うさぎ

問題 3

③の地域の郷土菓子で、最も適切と思われるものはどれか選びなさい。

㋐臼杵(うすき)煎餅　㋑五家宝(ごかぼう)
㋒しんごろう　㋓雷おこし

問題 4

④の地域の郷土菓子で、最も適切と思われるものはどれか選びなさい。

㋐福梅　㋑羽二重団子
㋒生姜糖　㋓那智黒

問題 8

「砂糖と、寒梅粉（かんばいこ）と呼ばれる餅を乾燥させて粉末にしたものとを練り合わせた落雁のような生地でこしあんを包んだ塩味饅頭」といえばどこのものか選びなさい。

- ㋐ 石川県
- ㋑ 兵庫県
- ㋒ 三重県
- ㋓ 奈良県

問題 9

小麦粉に砂糖・水を加えて硬めにこねた生地を棒状にして適宜に切り、オーブンで焼いた郷土菓子「けんぴ」はどこのものか選びなさい。

- ㋐ 徳島県
- ㋑ 長崎県
- ㋒ 和歌山県
- ㋓ 高知県

問題 10

郷土菓子として有名な「ちんすこう」の原料として、小麦粉、砂糖に加える油は何か選びなさい。

- ㋐ ラード
- ㋑ ゴマ油
- ㋒ オリーブ油
- ㋓ バター

問題 11

「やせうま」といわれている菓子があるのはどこか選びなさい。

- ㋐ 宮崎県
- ㋑ 大分県
- ㋒ 熊本県
- ㋓ 佐賀県

福島県の郷土菓子として親しまれているものはどれか選びなさい。

㋐ 南部煎餅

㋑ 麦せんべい

㋒ ぬれせんべい

㋓ 鹿せんべい

京都の郷土菓子として知られているものはどれか選びなさい。

㋐ ゆで落花生

㋑ 五色豆

㋒ ねったぼ

㋓ おこしもん

黒砂糖などを使った蒸しパン風の「ふくれ菓子」として知られる菓子はどこのものか選びなさい。

㋐ 福島県

㋑ 福井県

㋒ 鹿児島県

㋓ 香川県

瓦せんべいは、各地でつくられ、それぞれ起源をもっているが、その中でも平家物語の舞台となった屋島で知られるところはどこか選びなさい。

㋐ 広島県

㋑ 山口県

㋒ 兵庫県

㋓ 香川県

問題16

ユズを用いた餅菓子であるゆべしは日本各地に見られるが、「仙台ゆべし」として知られているゆべしに使われているものは何か選びなさい。

㋐ クルミ

㋑ 味噌

㋒ リンゴ

㋓ ミカン

問題17

江戸中期に京都でつくられ、江戸に伝わったとされる「きんつば」で餡をくるんでいる生地として最も適切なものは何か選びなさい。

㋐ コンニャク粉

㋑ 葛粉

㋒ 小麦粉

㋓ 卵黄

観光特産ドリル

お土産にも喜ばれる！
日本各地のお菓子　解説編

問題1　エ メロンゼリー

夕張市では7～9月に北海道夕張地区限定で栽培される夕張キングという赤肉メロンが特産で、その果汁からつくられるゼリーも知られている。トラピストクッキーは、北海道上磯町にあるトラピスト修道院製造のバターを練り込んだクッキー。

メロンゼリー

問題2　イ 諸越（もろこし）

小豆を使用した秋田地方の銘菓で、落雁（らくがん）の一種。落雁とは、餅米（もちごめ）を炒った粉末などに砂糖や水飴を加え、花や鳥などの型に入れて固めていろいろな形にした打ち菓子（干菓子の一種）。笹子餅（ささごもち）は山梨県大月市、しきしきは奈良県、花うさぎは石川県金沢市の菓子。

諸越

問題3　イ 五家宝（ごかぼう）

江戸時代に熊谷で売り出されたといわれる埼玉の郷土菓子のひとつ。餅米を蒸してつき、砂糖と水飴を加えて練り上げ、きな粉を表面にまぶした棒状のもの。臼杵煎餅（うすき）は大分県臼杵市、しんごろうは会津の郷土料理、雷おこしは東京・浅草の菓子。

五家宝

問題4　ア 福梅

石川県の旧藩前田家の家紋をモチーフにした紅白の最中（もなか）。正月の縁起菓子として古くから親しまれている。羽二重団子は東京都荒川区、那智黒は和歌山県太地町で製造される菓子。生姜糖は各地でつくられるが、島根県出雲市のものが有名。

福梅

姥ヶ餅

問題5　ウ 姥ヶ餅（うばがもち）

滋賀県草津市の郷土菓子。あんころ餅に白餡と山芋の練り切りが乗っている。梅ヶ枝餅は福岡県太宰府天満宮、三杯餅は秋田県仙北地方、両棒餅は鹿児島市に伝わる菓子。両棒餅はその字のとおり、餅に2本の竹串が刺さった形で提供される。

いきなり団子

問題6　ア いきなり団子

熊本県の郷土菓子「いきなり団子」は、輪切りにした生のサツマイモを小麦粉を練って平たく伸ばした生地（団子）で覆い隠すように包んでいき、蒸し器などで蒸かしてそのまま食べる菓子。「いきなりだご」とも呼ばれる。

ねりくり

問題7　エ ねりくり

宮崎県の郷土菓子「ねりくり」は『つき混ぜる』という意味。きな粉をまぶしたもの。ゆべしは各地に伝わるユズを使用したお菓子。漢字は柚餅子。ういろうは各地でつくられるが名古屋のものが有名。

塩味饅頭

問題8　イ 兵庫県

塩味饅頭は元禄時代から伝承されている兵庫県赤穂市のまんじゅう菓子。

けんぴ

問題9　エ 高知県

けんぴは、高知県の郷土菓子。起源は、室町時代に明（みん）から渡来した点心のひとつとする説など諸説ある。

問題 10　㋐ ラード

「ちんすこう」は琉球王朝時代から沖縄でつくられている伝統的な菓子のひとつ。小麦粉、砂糖、ラードを主原料とした焼き菓子として知られている。

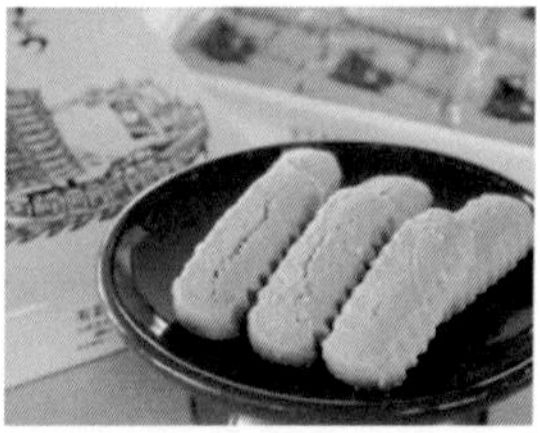
ちんすこう

問題 11　㋑ 大分県

「やせうま」は、大分県の郷土菓子。小麦粉でつくった平たい麺をゆでたものに、きな粉と砂糖をまぶしたもの。形状は麺に分類されるが包丁は用いず、水で練った小麦粉の塊から指で引きちぎるようにしてつくる。

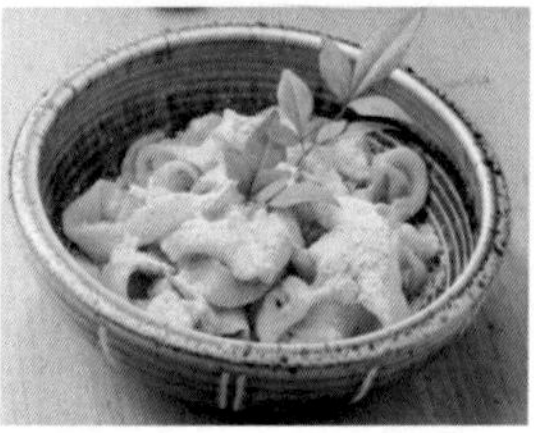
やせうま

問題 12　㋑ 麦せんべい

ピーナッツを配合した甘みのあるシンプルな煎餅。噛むと麦の甘みが広がる。南部煎餅は青森県八戸市や岩手県二戸市、ぬれせんべいは千葉県銚子市、鹿せんべいは奈良公園の鹿のエサとして売られている。

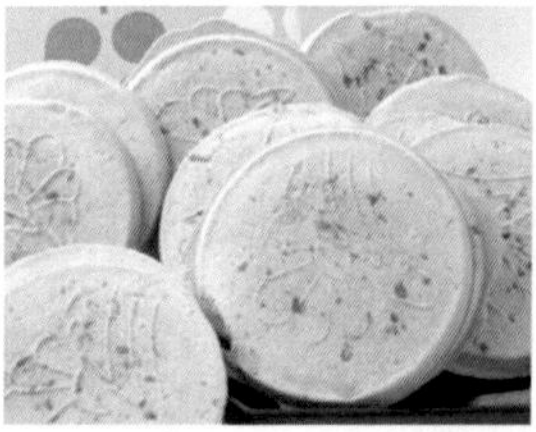
麦せんべい

問題 13　㋑ 五色豆（ごしきまめ）

五色豆は炒り豆に５色の糖衣をつけたもので、京都の銘菓とされる。色彩はおおむね白・緑・赤・黄・茶の５つである。ねったぼは鹿児島県、おこしもんは愛知県のお菓子。

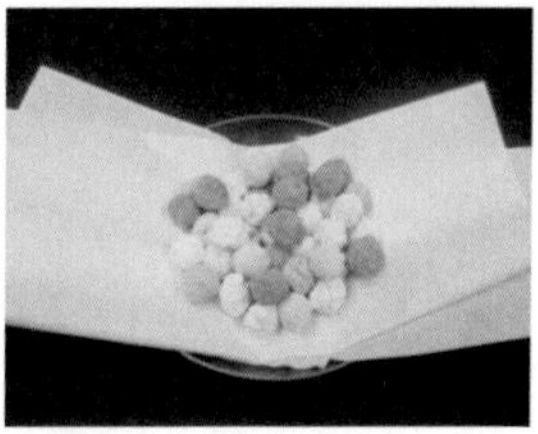
五色豆

問題 14　㋒ 鹿児島県

ふくれ菓子は、茶色の蒸しパン風の菓子で鹿児島県を中心とした地域でつくられる。材料は小麦粉、黒砂糖の他に、卵、薄力粉、重曹など。

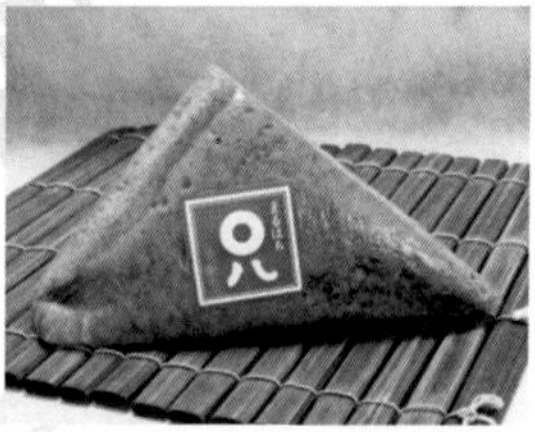
ふくれ菓子

瓦せんべい

問題 15　エ 香川県

砂糖と小麦粉、卵でつくられる瓦せんべいは各地で
つくられ、兵庫県神戸市や香川県高松市で郷土菓子
として売られている。屋島は『平家物語』の舞台と
なった香川県高松市の古戦場。

仙台ゆべし

問題 16　ア クルミ

平安時代以降、保存食としてつくられてきたゆべし
だが（問題7の解説参照）、仙台など東北地域では
ユズの入手が困難だったため、木の実（クルミ）が
使われたといわれる。

きんつば

問題 17　ウ 小麦粉

もともときんつばは、餅を上新粉でくるんだ菓子と
して京都で誕生したが、江戸に伝わるなど時間が経
つ中で小麦粉が使用されるようになっていき、現在
では多くが小麦粉使用となっている。

匠の技をじっくり楽しむ！

日本各地の民芸・工芸品

良質の土や豊富な樹木、
きれいな水などの恵みをもとに、
日本では民芸品や工芸品も発達してきた。
各地に伝わる名品を知る 18 問を出題！

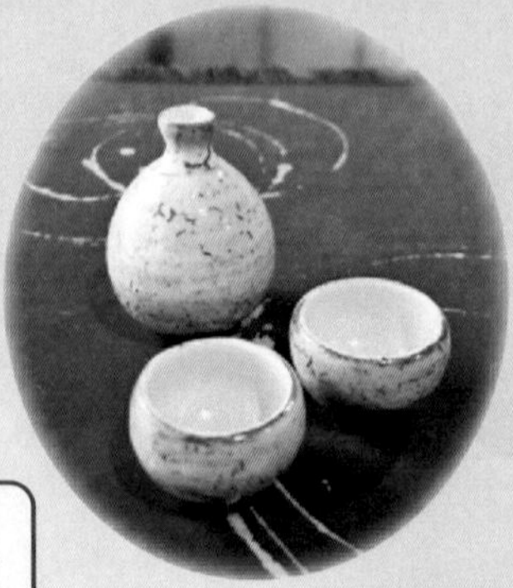

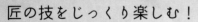

問題 4

④の地域の特産で、最も適切と思われる工芸品はどれか選びなさい。

㋐竹人形　　㋑塗箸

㋒扇子　　㋓和傘

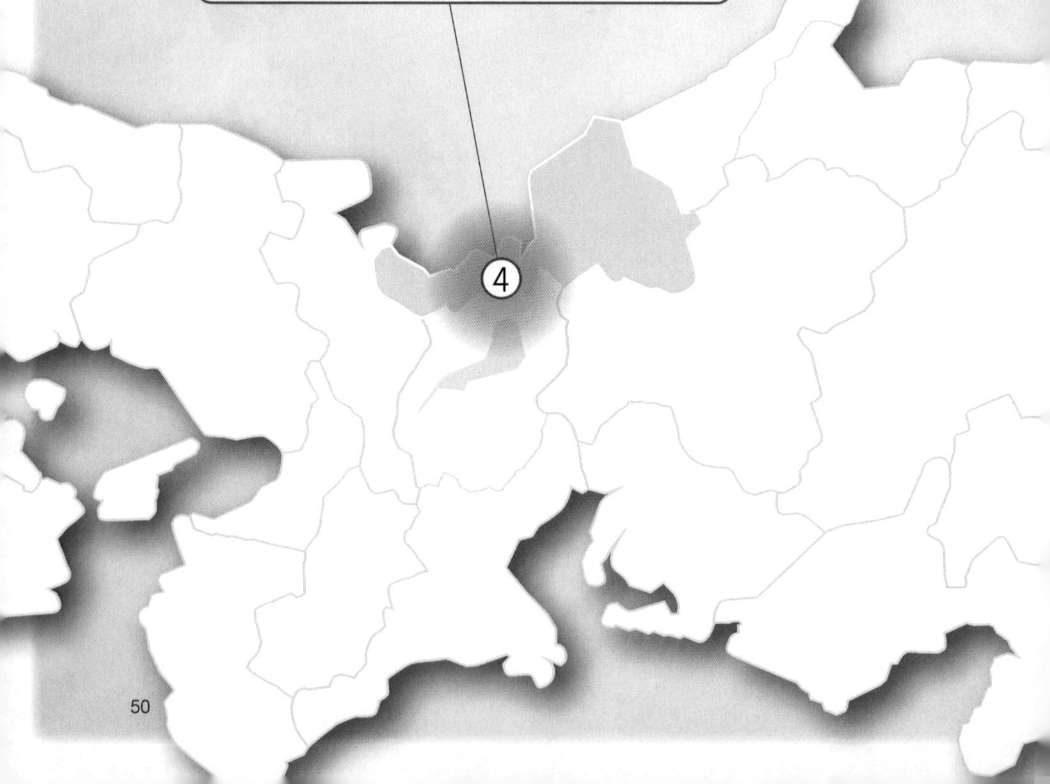

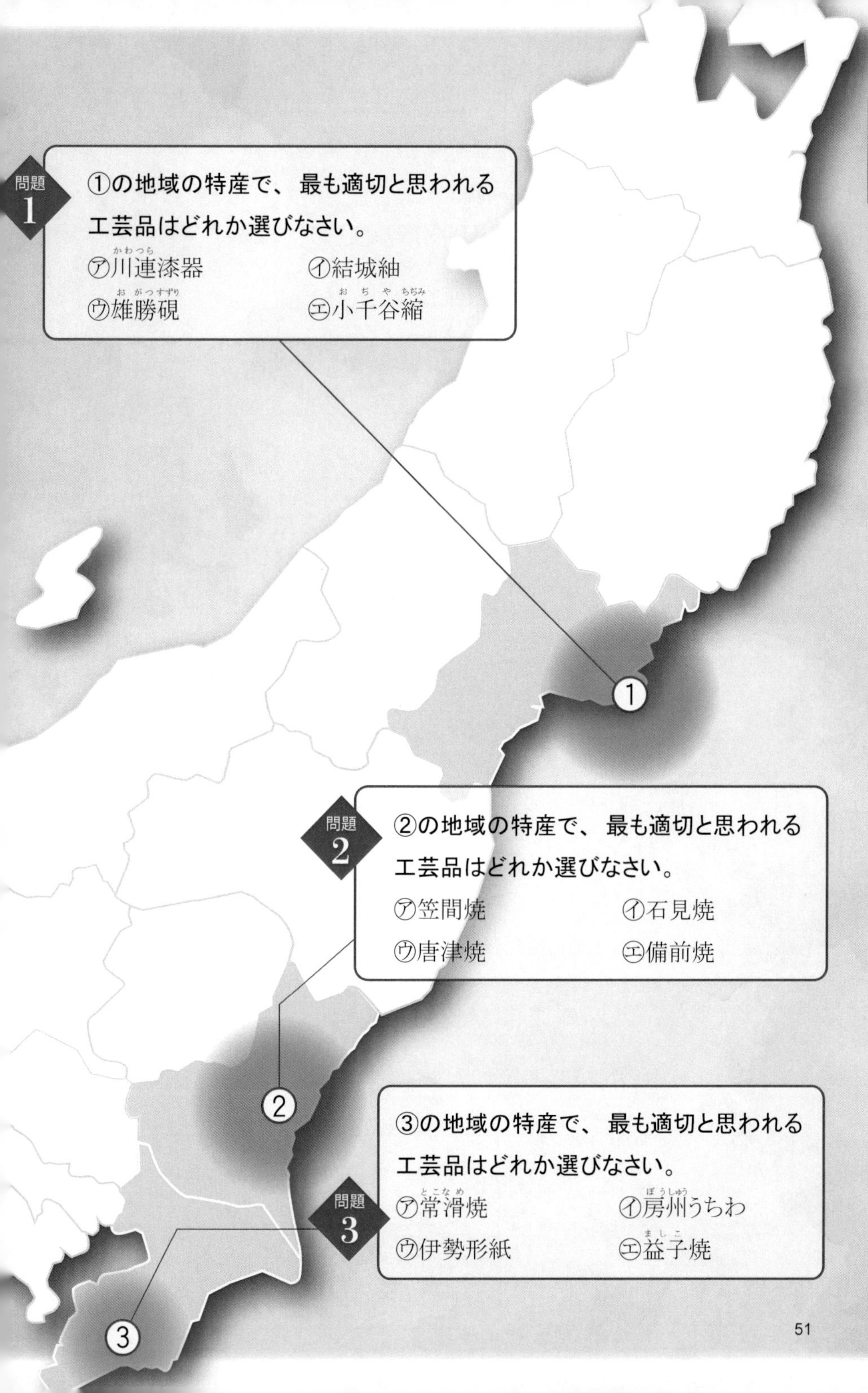

問題 1

①の地域の特産で、最も適切と思われる工芸品はどれか選びなさい。

㋐川連(かわつら)漆器　㋑結城紬
㋒雄勝硯(おがつすずり)　㋓小千谷縮(おぢやちぢみ)

問題 2

②の地域の特産で、最も適切と思われる工芸品はどれか選びなさい。

㋐笠間焼　㋑石見焼
㋒唐津焼　㋓備前焼

問題 3

③の地域の特産で、最も適切と思われる工芸品はどれか選びなさい。

㋐常滑焼(とこなめやき)　㋑房州(ぼうしゅう)うちわ
㋒伊勢形紙　㋓益子焼(ましこやき)

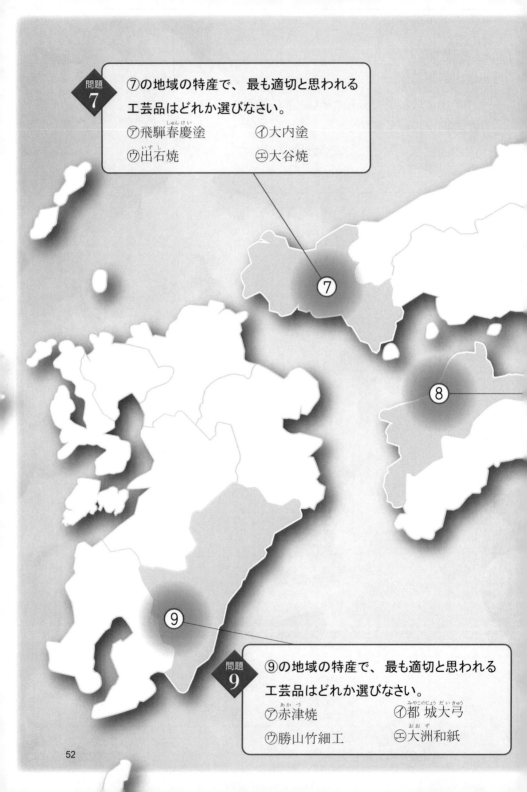

問題 7

⑦の地域の特産で、最も適切と思われる工芸品はどれか選びなさい。

㋐飛騨春慶(しゅんけい)塗　　㋑大内塗

㋒出石(いずし)焼　　㋓大谷焼

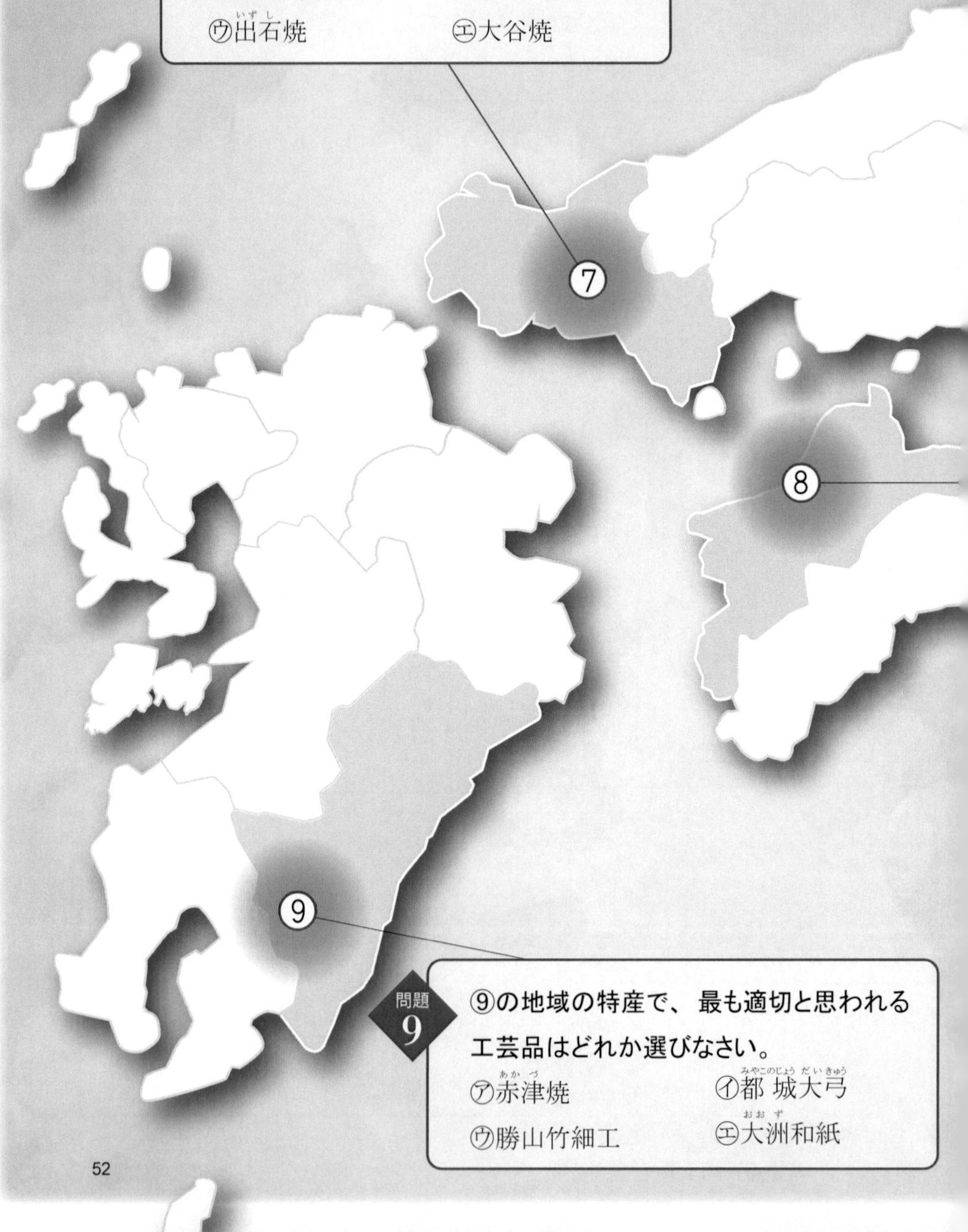

問題 9

⑨の地域の特産で、最も適切と思われる工芸品はどれか選びなさい。

㋐赤津(あかづ)焼　　㋑都城(みやこのじょう)大弓(だいきゅう)

㋒勝山竹細工　　㋓大洲(おおず)和紙

問題5

⑤の地域の特産で、最も適切と思われる
工芸品はどれか選びなさい。

㋐伊賀くみひも　　㋑西陣織

㋒弓浜絣　　　　　㋓しじら織り

⑤

⑥

問題6

⑥の地域の特産で、最も適切と思われる
工芸品はどれか選びなさい。

㋐秀衡塗（ひでひら）　　　　㋑弓浜絣

㋒根来塗（ねごろ）　　　　㋓塩沢紬

問題8

⑧の地域の特産で、最も適切と思われる
工芸品はどれか選びなさい。

㋐赤間硯　　　　㋑波佐見焼（はさみ）

㋒砥部焼（とべ）　　㋓壺屋焼

黒田長政が幕府の献上品に指定し、地質が厚く、独鈷、華皿を図案化した、浮線紋と柳条のある紋様を経糸のみで表しており、簡素で粋な感じの絹織物は何か選びなさい。

- ㋐ 博多織
- ㋑ 久留米絣
- ㋒ 弓浜絣
- ㋓ 桐生織

 鎌倉時代に中部日本のこの地に移り住んだ刀匠により日本刀がつくられ、その伝統から明治以降も刃物の産地となった県はどこか選びなさい。

- ㋐ 長野県
- ㋑ 岐阜県
- ㋒ 愛知県
- ㋓ 静岡県

 全国一の生産量といわれる提灯を生産し、また、イチゴのあまおうの生産地としても有名なところはどこか選びなさい。

- ㋐ 長崎県
- ㋑ 福岡県
- ㋒ 熊本県
- ㋓ 佐賀県

 国指定の伝統的工芸品で、明治以降、「銘仙」として全国的に有名。絹の風合いを活かした技法、括り絣・板締絣・捺染加工絣に特徴があるものは何か選びなさい。

- ㋐ 秩父銘仙
- ㋑ 伊勢崎絣
- ㋒ 足利銘仙
- ㋓ 桐生銘仙

問題 14

日本最古の絹織物として国から伝統的工芸品に指定されている、東日本で有名な高級先染織物は何か選びなさい。

　　ア　牛首 紬
　　　　うしくびつむぎ
　　イ　置賜紬
　　　　おいたま
　　ウ　米沢紬
　　エ　結城紬
　　　　ゆうき

 問題 15

国指定の伝統的工芸品であるタヌキの置物が有名な「信楽焼」はどこのものか選びなさい。
　　　　　　　　　　　　　　　　　　　　　しがらき

　　ア　福島県
　　イ　滋賀県
　　ウ　青森県
　　エ　茨城県

 問題 16

国の伝統的工芸品である「甲州水晶貴石細工」の産地はどこかを選びなさい。
　　　　　　　　　　　　　きせき

　　ア　山梨県
　　イ　長野県
　　ウ　岐阜県
　　エ　静岡県

 問題 17

タオル産地として有名な地域があるのはどこか選びなさい。

　　ア　香川県
　　イ　徳島県
　　ウ　高知県
　　エ　愛媛県

問題 18

国指定の伝統的工芸品で、「接組手(つぎくみて)」と呼ばれる木の部材を接合する伝統技法を使って堅牢に組み立てられ、特に、長野県独特の「鯱留(しゃちどめ)」と呼ばれる茶布台(ちゃぶだい)の枠を組む技法で、家の梁(はり)や柱を接ぐ時に使う建築工法をアレンジした、この土地の職人の知恵の産物である家具はどれかを選びなさい。

㋐ 大川家具
㋑ 安曇野家具
㋒ 南木曽家具
㋓ 松本家具

問題編

観光特産ドリル

匠の技をじっくり楽しむ！日本各地の民芸・工芸品　解説編

問題1　㋒ **雄勝硯**

宮城県の雄勝硯は国の伝統的工芸品。川連漆器は秋田県湯沢市で生産される漆器。結城紬は、茨城県と栃木県にまたがる鬼怒川周辺地域でつくられる絹織物。小千谷縮は新潟県小千谷市周辺で生産される麻織物。

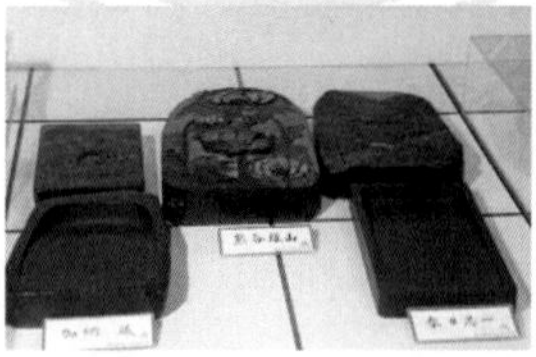
雄勝硯

問題2　㋐ **笠間焼**

笠間焼は江戸時代中期から始まる、茨城県笠間市周辺を産地とする陶磁器。国指定の伝統的工芸品。石見焼は島根県中部、唐津焼は佐賀県唐津市他、備前焼は岡山県備前市などで製造されている。

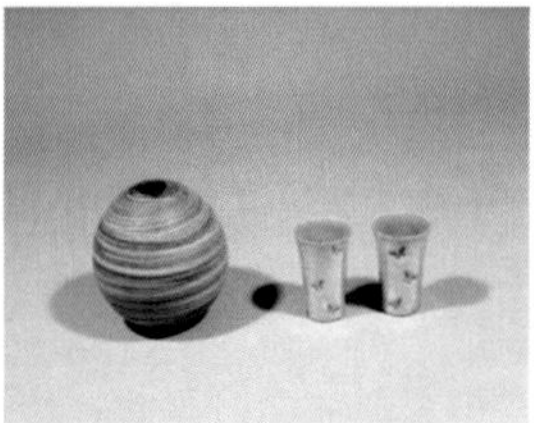
笠間焼

問題3　㋑ **房州うちわ**

千葉県でつくられる房州うちわは京都府、香川県のうちわと並ぶ国の伝統的工芸品。常滑焼は愛知県常滑市周辺で製造の陶磁器。伊勢形紙は三重県鈴鹿市を中心に生産される生地の紋様などに使用する形紙。益子焼は栃木県益子町周辺で生産される陶磁器。

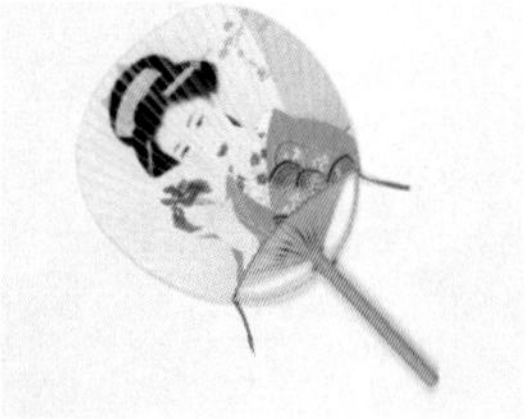
房州うちわ

問題4　㋑ **塗箸**

福井県小浜市を代表する特産のひとつが塗箸。若狭塗の技法を使い貝殻や金銀箔を漆で何度も重ねて塗る。

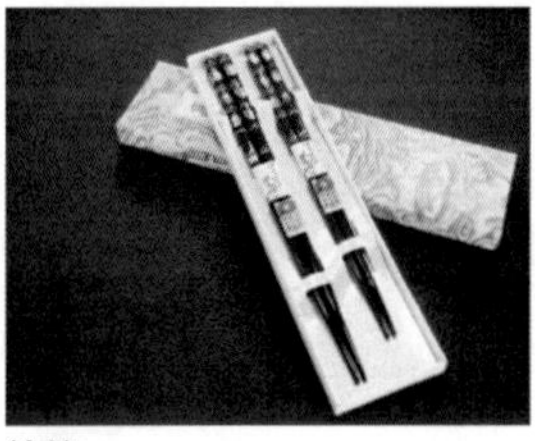
塗箸

問題5　㋐ 伊賀くみひも

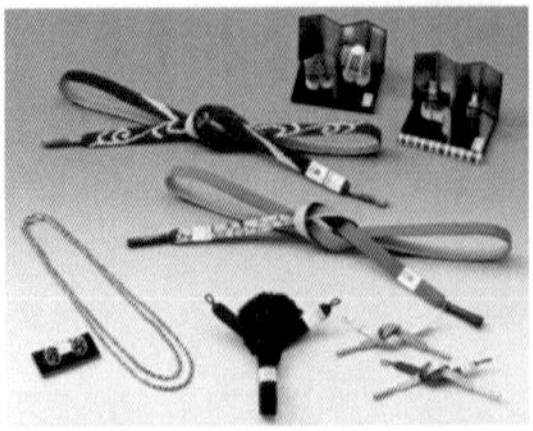
伊賀くみひも

三重県「伊賀くみひも」は生糸や絹糸を紐に編み上げていったもので、光沢のある美しさをもつのが特徴。和装品によく似合う、国指定伝統的工芸品。西陣織は京都府、弓浜絣は鳥取県米子市や境港市、しじら織りは徳島県徳島市周辺で生産。

問題6　㋒ 根来塗（ねごろ）

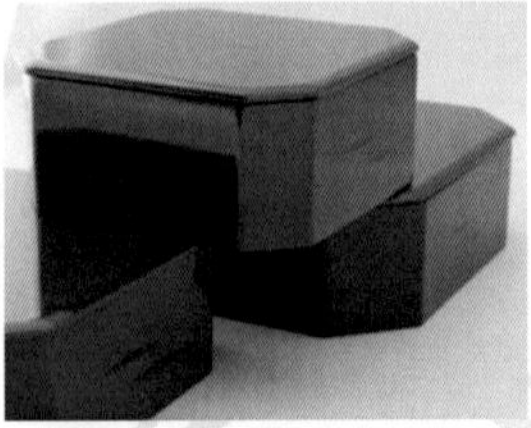
根来塗

和歌山県の根来塗は、室町時代に隆盛を極めた根来寺の僧侶らが仏事や日用品のために製造した、黒漆で下塗りをしその上に朱漆を塗った漆器。秀衡（ひでひら）塗は岩手県の漆器、弓浜絣は鳥取県西部の織物、塩沢紬は新潟県南魚沼市の紬織物。

問題7　㋑ 大内塗

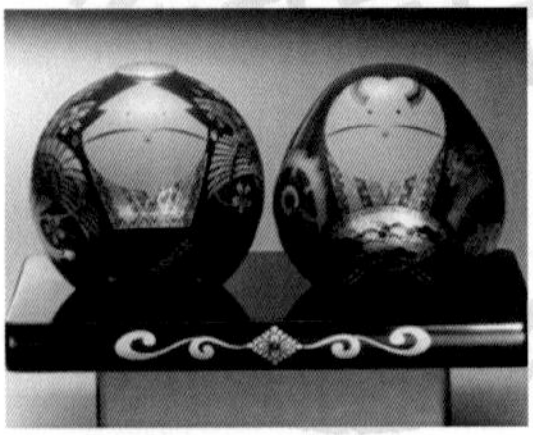
大内塗の作品、大内人形

山口県山口市で生産されるおもに椀・盆などの漆器。国の伝統的工芸品。飛騨春慶（しゅんけい）塗は岐阜県高山市を中心に製造される漆器。出石（いずし）焼は兵庫県豊岡市でつくられる磁器。大谷焼は徳島県鳴門市で製造される陶器。

問題8　㋒ 砥部（とべ）焼

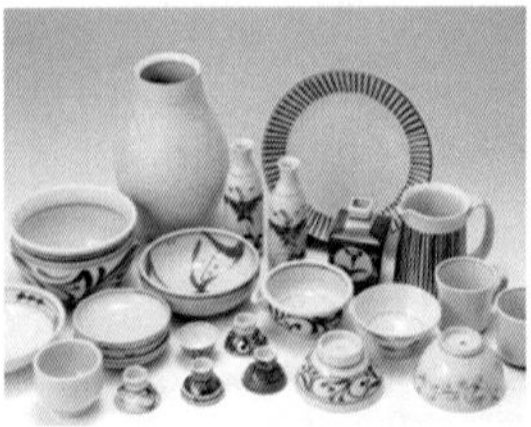
砥部焼

愛媛県の砥部焼は、国の伝統的工芸品に指定されている。砥石の産地であったため、石屑から磁器が焼かれるようになったとされる。赤間硯は山口県下関市周辺で製造される硯。波佐見（はさみ）焼は長崎県の東彼杵（ひがしそのぎ）郡波佐見の陶磁器。壺屋焼は沖縄県那覇市の陶磁器。

問題9　㋑ 都城大弓（みやこのじょうだいきゅう）

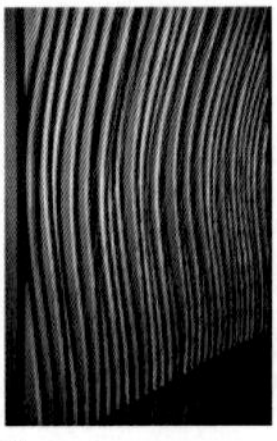
都城大弓

宮崎県の都城大弓は、国の伝統的工芸品で主としてマダケを材料とする。赤津（あかづ）焼は愛知県の瀬戸市赤津町を中心につくられる陶磁器。勝山竹細工は岡山県真庭市の竹工品。大洲（おおず）和紙は、愛媛県の西予（せいよ）市や喜多郡内子町で受け継がれてきた和紙。

問題 10　㋐ 博多織

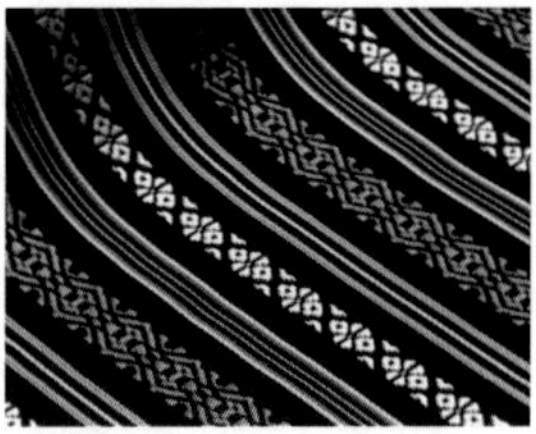
博多織

博多織は17世紀はじめ黒田長政が幕府の献上品に指定、地質が厚く、独鈷、華皿を図案化した、浮線紋と柳条のある紋様を経糸のみで表し、粋な感じの絹織物。久留米絣は福岡県久留米市周辺、弓浜絣は鳥取県西部、桐生織は群馬桐生市の特産。

問題 11　㋑ 岐阜県

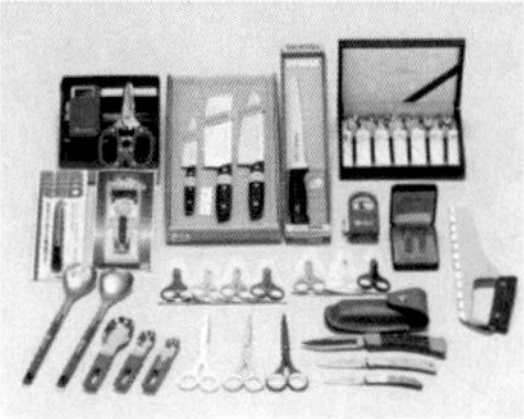
関の刃物

岐阜県関市およびその周辺でつくられる刃物。特に岐阜市の北東に位置する関市が産地として有名である。約800年前から刀鍛冶が始まっていたとされる。

問題 12　㋑ 福岡県

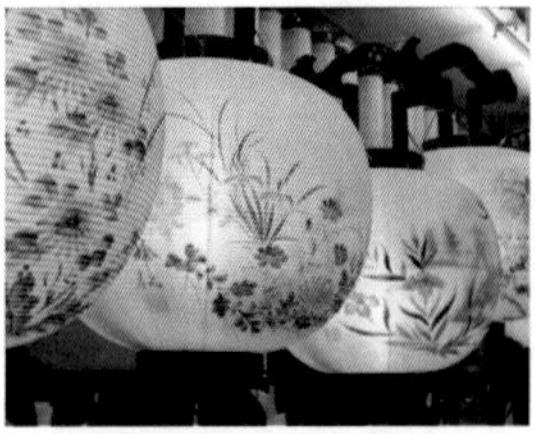
八女提灯

県南西部の八女市で生産が盛んで、手づくりの優雅さで気品あふれる提灯の姿は、2001年7月3日に国の伝統的工芸品に指定された。また、品種あまおうの栽培が盛んな福岡県は、イチゴ生産量で全国第2位（2008年度農林水産省統計）となっている。

問題 13　㋑ 伊勢崎絣

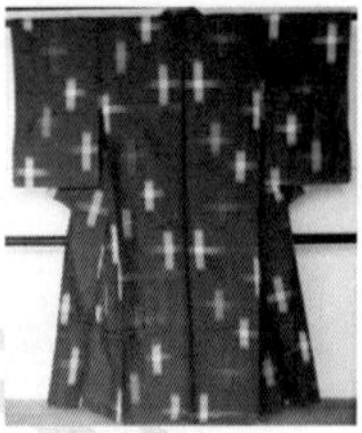
伊勢崎絣

国指定の伝統的工芸品。「括り絣」は一般的な技法で簡単なものから複雑なものまで幅広い模様が表現可能、「板締絣」は模様の刻まれた板に糸をはさんで染色することで細かな表現ができる手法、「捺染加工絣」は型紙を使い多様な模様を表現できる手法。

問題 14　㋓ 結城紬

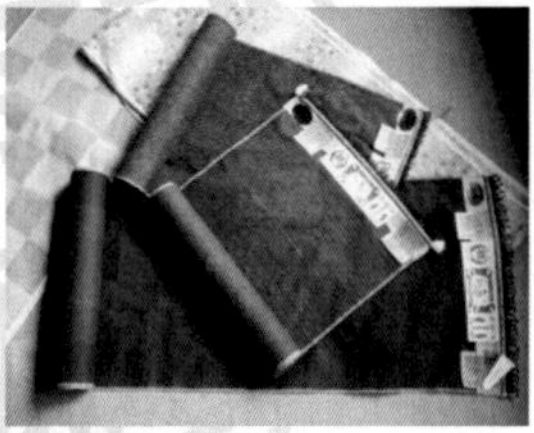
結城紬

絹でありながら、木綿織り風の素朴な味わいがある。国指定伝統的工芸品。牛首紬は石川県白山市、置賜紬は山形県米沢市や置賜地域、米沢紬は山形県米沢市周辺が産地。

信楽焼

問題 15 ⓘ 滋賀県

信楽焼は、滋賀県甲賀市信楽町を中心につくられる伝統陶磁器、炻器（焼き固まっていて吸水性のない焼き物）。一般にはタヌキの置物が著名。国指定伝統的工芸品。

甲州水晶貴石細工

問題 16 ⓐ 山梨県

甲州水晶貴石細工は山梨県の天然宝石の加工品。「御嶽昇仙峡」の奥地から水晶原石が発見されたことが始まりといわれる。

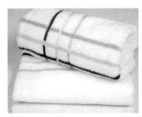

今治タオル

問題 17 ⓔ 愛媛県

愛媛県今治市は世界最大のタオル産地といわれる。近年では、「今治タオルプロジェクト」の名称のもと、ブランド化の試みが盛んに行われている。

松本家具

問題 18 ⓔ 松本家具

長野県松本市では江戸時代から家具がつくられ始め、知られるようになった。大川家具は福岡県大川市周辺で製造される。

解説編

観光と一緒に味わいたい！

名所・旧跡・温泉・祭りと特産

名所のそばには美味がある―。 昔からそう語られてきたとおり、旅の目的には観光地と名物料理が大きな要素となってきた。それらが同時に覚えられる24問！

問題 4

④の「花笠まつり」が行われる都道府県で、最も適切と思われる郷土料理はどれか選びなさい。

㋐アンコウ料理　　㋑へらへら団子

㋒どんがら汁　　㋓てこね寿司

問題
1

①の「五稜郭」がある都道府県で、最も適切と思われる特産はどれか選びなさい。

㋐ニシンの山椒漬け　㋑スープカレー
㋒あごのやき　㋓ブリのあつめし

問題
2

②の「竿燈まつり」が行われる都道府県で、最も適切と思われる郷土料理はどれか選びなさい。

㋐ひっつみ　㋑ごまだしうどん
㋒じゅんさい鍋　㋓あんもち雑煮

問題
3

③の「鳴子温泉」がある都道府県で、最も適切と思われる郷土料理はどれか選びなさい。

㋐モツ鍋　㋑たらいうどん
㋒ホヤ雑煮　㋓ちまき

問題 8

⑧の「道後温泉」がある都道府県で、最も適切と思われる郷土料理は何か選びなさい。

㋐黒はんぺん　㋑皮てんぷら

㋒ドロメ　㋓イカナゴの釘煮

問題 9

⑨の「唐津くんち」が行われる都道府県で、最も適切と思われる郷土料理は何か選びなさい。

㋐水無月　㋑須古ずし

㋒かいさま寿司　㋓笹寿司

問題 10

⑩の「指宿温泉」がある都道府県で、最も適切と思われる特産は何か選びなさい。

㋐すぐき　㋑ゆねり

㋒カライモのねったぼ　㋓山椒もち

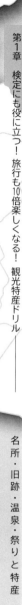

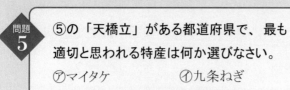

問題
5

⑤の「天橋立」がある都道府県で、最も
適切と思われる特産は何か選びなさい。

⑦マイタケ　　　　　④九条ねぎ

⑦エリンギ　　　　　⑤黄ニラ

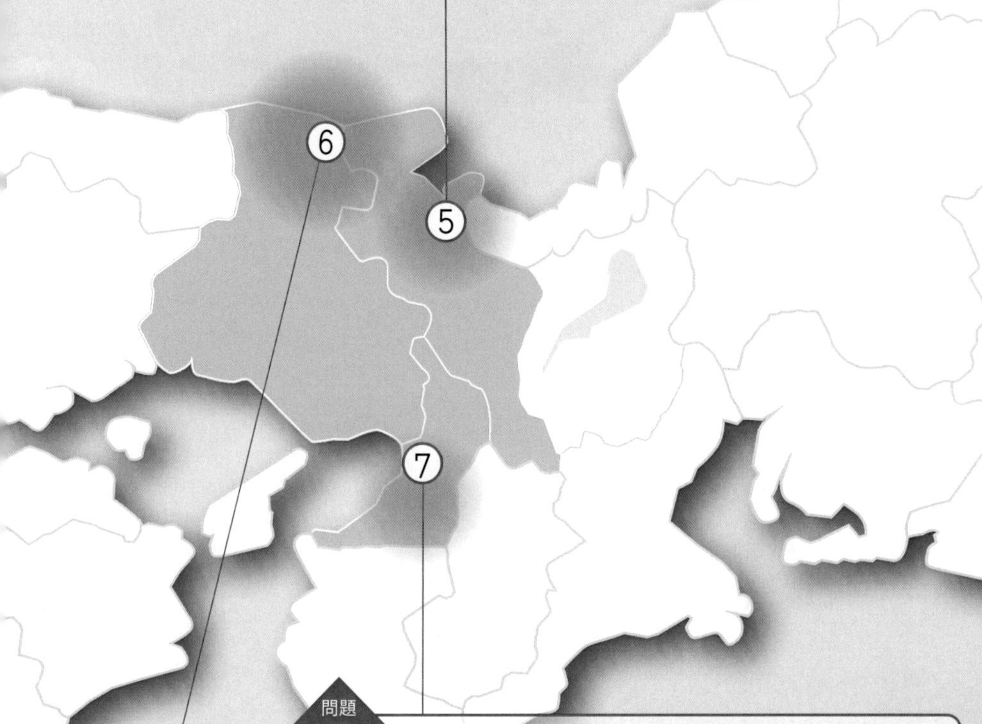

⑥

⑤

⑦

問題
7

⑦の「黒門市場」がある都道府県で、最も適切と
思われる郷土料理は何か選びなさい。

⑦鮒寿司　　　　　　④箱寿司

⑦ボウゼの姿寿司　　⑤アユのなれ寿司

問題
6

⑥の「城崎温泉」がある都道府県で、最も
適切と思われる特産は何か選びなさい。

⑦牛首紬　　　　　④肥後象嵌

⑦都城大弓　　　　⑤播州そろばん

65

問題11 九十九湾（つくもわん）がある都道府県の郷土料理は何か選びなさい。

- ㋐ こが焼き
- ㋑ ごり料理
- ㋒ 落人料理
- ㋓ ふろふきだいこん

問題12 リアス式海岸が美しい三陸海岸の金華山（きんかざん）がある都道府県の特産は何か選びなさい。

- ㋐ さばそうめん
- ㋑ おしぼりうどん
- ㋒ 温麺（うーめん）
- ㋓ 高遠（たかとお）そば

問題13 日本の庭園の代表といわれる後楽園があり、当地ならではの「ばら寿司」、サワラ料理がある都道府県はどこか選びなさい。

- ㋐ 岡山県
- ㋑ 広島県
- ㋒ 兵庫県
- ㋓ 愛媛県

問題14 強羅温泉（ごうら）がある都道府県の郷土料理は何か選びなさい。

- ㋐ サンマーメン
- ㋑ おせずし
- ㋒ ほうとう
- ㋓ けんさ焼き

問題15 さんさ踊りで有名な都道府県の郷土料理は何か選びなさい。

- ㋐ いももち
- ㋑ 稲花餅（いが）
- ㋒ えび餅
- ㋓ くじら餅

問題 16 富良野で有名な特産は何か選びなさい。

　㋐　シクラメン

　㋑　ブルーベリー

　㋒　パンジー

　㋓　ラベンダー

 問題 17 玉造温泉がある都道府県の郷土料理は何か選びなさい。

　㋐　かいのこ汁

　㋑　にゅうめん

　㋒　じゃこ寿司

　㋓　出雲そば

 問題 18 加藤清正が築城したことで有名な城がある都道府県の特産品はどれか選びなさい。

　㋐　じゃこてん

　㋑　車麩

　㋒　辛子レンコン

　㋓　ういろう

 問題 19 江戸時代以来、飛来するツルの種類と数の多さで有名な都道府県の特産は何か選びなさい。

　㋐　花御所柿

　㋑　長門ゆずきち

　㋒　キビナゴ

　㋓　ちしゃなます

問題 20

木造の天守閣が国宝として残っている丸亀城のある都道府県の特産品は何か選びなさい。

- ㋐ 夏ミカン
- ㋑ オリーブ
- ㋒ おしぼりうどん
- ㋓ カツオのたたき

問題 21

大小 200 あまりの島がつくる風景が美しい九十九島がある都道府県の特産は何か選びなさい。

- ㋐ からすみ
- ㋑ くちこ
- ㋒ ガンヅケ
- ㋓ あごちくわ

問題 22

江戸時代には幕府直轄の金山でも有名だった島で知られる都道府県の特産・郷土料理は何か選びなさい。

- ㋐ 蜂屋柿
- ㋑ えごねり
- ㋒ あかはたもち
- ㋓ にしんなす

問題 23

稲葉山ともいわれた金華山の山頂に築かれた城がある都道府県の特産品は何か選びなさい。

- ㋐ みょうがぼち
- ㋑ 笹かまぼこ
- ㋒ けいちゃん
- ㋓ 伊深しぐれ

問題 24 大時計をのせた特徴的な外観の建築物がある、次の写真の都道府県の祭りとして、有名なものを選びなさい。

㋐ さっぽろ雪まつり

㋑ 青森ねぶた祭

㋒ 高山祭

㋓ 祇園祭

観光と一緒に味わいたい！
名所·旧跡·温泉·祭りと特産品　解説編

スープカレー

問題1　④ スープカレー

北海道函館市にある五稜郭は、江戸時代の末につくられたが、明治維新の戊辰戦争の舞台となった西洋式の要塞城である。スープカレーは札幌市や函館市の新名物として、多くの店舗で提供されている。

じゅんさい鍋

問題2　⑤ じゅんさい鍋

秋田竿燈まつりは秋田市の祭り。ジュンサイは多年生の水生植物で澄んだ淡水の池沼に自生する。現在では栽培されている場合も多い。

ホヤ雑煮

問題3　⑤ ホヤ雑煮

山形県との県境に近い宮城県の鳴子温泉は、こけしで有名な温泉地。宮城県では古くから広くホヤが食用とされてきた。多く流通するのはおもに三陸海岸沿岸部。

どんがら汁

問題4　⑤ どんがら汁

山形花笠まつりは山形県山形市で8月に行われる祭り。「どんがら汁」は、寒ダラの身のブツ切り、内臓、頭などをすべて鍋に入れ、ネギと一緒に味噌で煮込む料理。名前の由来は寒ダラの「身とガラ」を用いることから「胴殻」が変化したといわれている。

問題5 　④ 九条ねぎ

京都府宮津市の天橋立は、松島、宮島とともに日本三景に挙げられる。九条ねぎとは青ネギの一種。京都市の九条地区が主産地であったことからついた名前。

九条ねぎ

問題6 　㋩ 播州そろばん

1,000年以上の歴史をもつといわれる兵庫県の城崎温泉は7つの外湯めぐりが人気。播州そろばんは経済産業大臣が指定する国の伝統的工芸品。

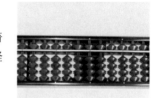

播州そろばん

問題7 　④ 箱寿司

黒門市場は大阪にある日本の台所ともいわれる市場。大阪発祥の箱寿司は木でつくられた型に、酢飯を詰めエビや魚の切り身などの寿司ダネをのせてふたをし、重しをかけて四角い形に整える寿司。押し寿司、大阪寿司とも呼ばれる。

箱寿司

問題8 　④ 皮てんぷら

道後温泉は愛媛県松山市の温泉地。皮てんぷらとは愛媛県の郷土料理のひとつ。麦わらでくるんだ、すのこ巻のかまぼこの製造時に出る皮やクズを細かく刻み、油で揚げたもの。

皮てんぷら

問題9 　④ 須古ずし

佐賀県の「唐津くんち」は大きなタイや獅子などの曳山で知られる祭り。漆の一閑張りと呼ばれる技法でつくられる。須古ずしは佐賀県に江戸時代から伝わる押し寿司。かいさま寿司は、高知県で食される寿司の一種。

須古ずし

カライモのねったぼ

問題10　ウ カライモのねったぼ

鹿児島の指宿温泉は砂蒸し風呂で有名。「カライモのねったぼ」は、カライモ（サツマイモ）と餅を混ぜてつくる菓子。

ごり料理

問題11　イ ごり料理

九十九湾は石川県能登半島の典型的なリアス式海岸。ごり料理は石川県金沢市の郷土料理。淡水魚であるカジカ（＝ごり）をから揚げや刺身など、いろいろなかたちで料理する。主として秋から冬にかけて食される。

温麺

問題12　ウ 温麺（うーめん）

牡鹿半島の1キロほど沖に浮かぶ金華山（きんかざん）は、宮城県に属す。「温麺」は、宮城県白石市の特産。さばそうめんは滋賀県長浜市周辺、おしぼりうどんは長野県坂城町周辺、高遠（たかとお）そばは福島県下郷町周辺で食されてきた。

ばら寿司

問題13　ア 岡山県

後楽園は岡山県岡山市にある日本庭園で、兼六園、偕楽園とともに日本三名園。ばら寿司は祭り寿司ともいわれ、祝い事や行事には欠かせない。新鮮な海の幸と旬の野菜をたっぷりのせた、彩り鮮やかな寿司。

サンマーメン

問題14　ア サンマーメン

強羅（ごうら）温泉は神奈川県箱根の温泉。サンマーメン（生馬麺）は神奈川県横浜市の郷土料理で、野菜あんかけののったラーメン。おせずしは富山県魚津市、ほうとうは山梨県に伝わる麺料理の一種。

問題 15　ⓤ えび餅

さんさ踊りは岩手県の夏祭り。えび餅は岩手県の郷土料理。エビを丸ごと炒り、酒と塩で味をととのえて、つきたての餅をちぎって入れる。稲花餅は山形県の蔵王温泉で食される伝統的な菓子。くじら餅も同じく山形県の新庄市周辺に伝わる菓子。

えび餅

問題 16　ⓔ ラベンダー

北海道の富良野では6月から8月にかけて開花するラベンダーが有名。

富良野のラベンダー

問題 17　ⓔ 出雲そば

玉造温泉は島根県松江市にある温泉。「出雲そば」は蕎麦粉をつくるときソバの実を皮ごと石臼で挽くため、蕎麦の色は濃く黒く見え香りも強い。割子（重箱）に盛るのが特徴。かいのこ汁は鹿児島県、にゅうめんは奈良県、じゃこ寿司は和歌山県の郷土料理。

出雲そば

問題 18　ⓤ 辛子レンコン

加藤清正が築城した、熊本城のある熊本県の特産「辛子レンコン」は、レンコンの穴に辛子味噌を詰め揚げたもの。じゃこてんは愛媛県発祥の郷土料理、車麩は新潟県魚沼市周辺で食される。

辛子レンコン

問題 19　ⓤ キビナゴ

鹿児島県の出水市は、ツルの飛来地として特に有名。「キビナゴ」は南方の外洋に多い10センチほどのニシン科に属する魚で鹿児島県での利用が多い。花御所柿は鳥取県東部、長門ゆずきちは山口県で収穫される柑橘類の一種、ちしゃなますも萩市の郷土料理。

キビナゴの刺身

問題20　㋑ オリーブ

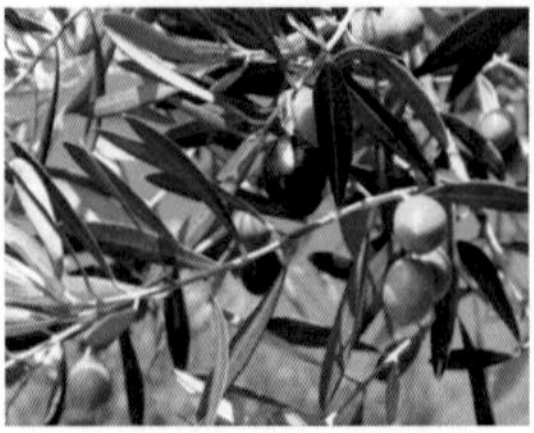

オリーブの実

丸亀城は香川県丸亀市にある城。小豆島は、全国有数のオリーブ産地。

問題21　㋐ からすみ

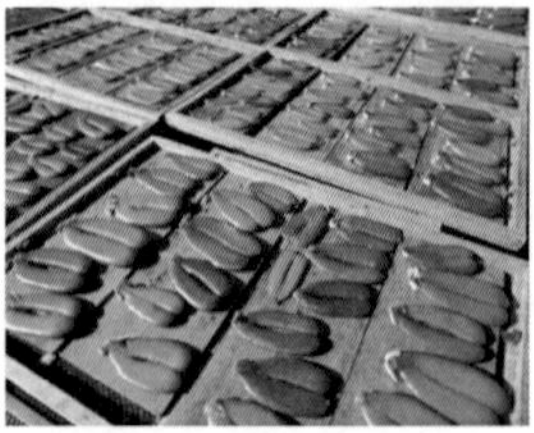

からすみ

九十九島(くじゅうくしま)は長崎県。からすみはボラの卵巣を塩漬けし、乾燥させた珍味で「唐墨(からすみ)」に形が似ていることで名前がついたといわれる。くちこは石川県能登半島に伝わるナマコの卵巣を使用した珍味、あごちくわは鳥取県で生産されるトビウオを使用したちくわ。

問題22　㋑ えごねり

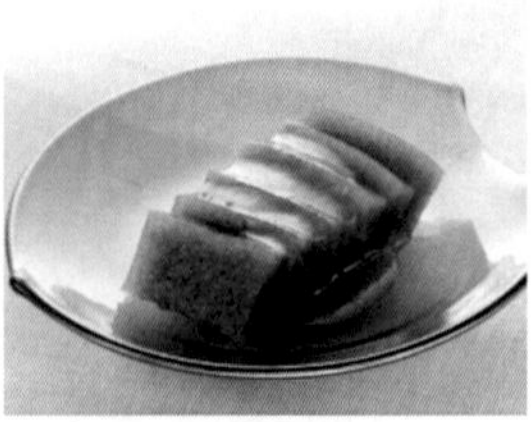

えごねり

佐渡島がある新潟県のえごねりは、エゴノリを水に漬けて戻したあと煮溶かし、コンニャクのように固まったら短冊状に細長く切ってゴマ醤油や辛子醤油、生姜醤油などで食べる。蜂夜柿は岐阜県美濃加茂市、あかはたもちは青森県、にしんなすは京都府。

問題23　㋒ けいちゃん

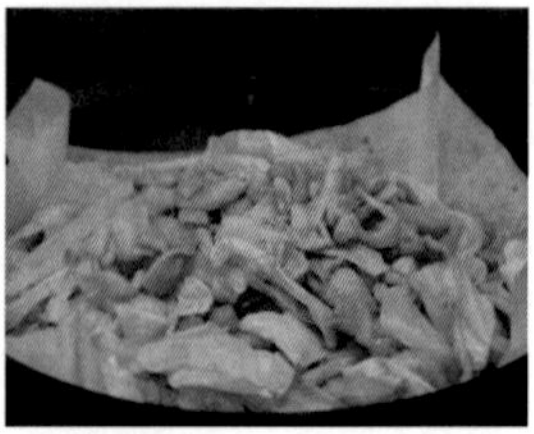

けいちゃん

岐阜県の金華山(きんかざん)の山頂には戦国時代につくられた岐阜城がある。けい（鶏）ちゃんは鶏肉を使った岐阜県の郷土料理。みょうがぼちは岐阜県美濃地方で食される和菓子、笹かまぼこは宮城県が発祥、伊深しぐれは岐阜県関市の郷土料理。

問題24　㋐ さっぽろ雪まつり

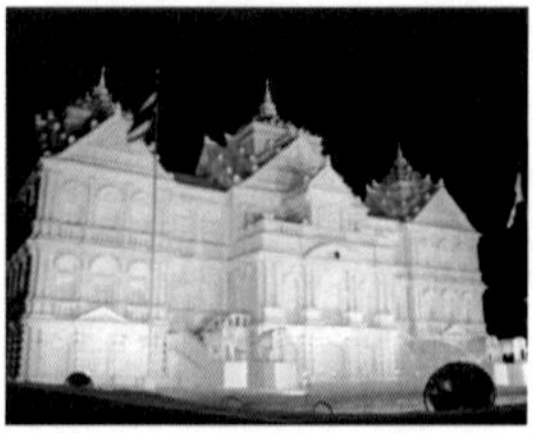

さっぽろ雪まつり

問題文の写真は札幌の観光名所としてよく知られる時計台。その札幌で行われる祭りが雪まつり。毎年２月に開催され、道内外から多くの観光客を集める。

第2章

全国各地の美味しい特産！

Pickup ピックアップ

全国各地の美味しい特産！

すでに有名なものはもちろん、地元でしか知られていない特産も紹介。覚えて、味わって楽しみたい！

北海道

▶イカそうめん

獲れたての生イカを2～3枚に薄くおろし、きしめんよりさらに細かく刻み、生姜を加えた蕎麦つゆで食する函館発信の料理。

▶いかめし

古くから保存食として、漁師を中心に考えられた食べ物で、内臓をとり、中に餅米などの具材を詰め、煮込んだ料理。JR函館本線森駅の駅弁として有名。函館地区は古くからイカの水揚げが多く、その日の朝獲れたばかりのイカをリヤカーに乗せて行商する習慣が長く残っていた。一般家庭でも日持ちのしないイカを長く保存するため、裂いたイカの中に餅米を入れ煮込むいかめしが郷土料理として定着していた。最近では冷凍技術の発達により真空パックの商品も全国に広く流通するように

なったが、やはり炊きたての味、香りには敵わないという。毎年行われる全国駅弁大会では連続日本一の栄誉に輝いている。

▶毛ガニ

オホーツクの毛ガニは流氷が去る3～5月が一番美味しいとされる。カニかごといわれる独特の漁法によっており、水揚げ後に鮮度の良い状態でゆで上げ、素早く冷凍や冷蔵で処理し、早く食すのが一番。

▶花咲ガニ

熱を加えると花が咲いたように見えるところからこの名前がついたとされるカニ。根室半島に多く分布しており浜中から納沙布岬までが主産

地で、寿司の具や、味噌汁との相性が良いため、地元では鉄砲汁として古くから親しまれている。

▶ルイベ

サケまたはマスを使った北海道の郷土料理。魚をさばいたものを冷凍させ、それを半冷凍にして刺身のように薄く切って食べる北海道ならではの伝統料理法。旬な時期のサケ、マスが最適のため秋から冬にかけての料理である。

▶ちゃんちゃん焼き

北海道の漁師町の伝統的な名物料理で、サケなどの魚とキャベツなどの野菜に味噌を加えて鉄板で焼いた料理。獲れたてのサケを大型の鉄板の上にのせ、キャベツやモヤシ、ジャガイモ、ニンジンなどの野菜とともに蒸し焼きにする豪快な漁師料理が始まりといわれている。蒸し上がったところに味噌を加えながら食す。その際、蒸し上がる時間をもてあますのを「チャンチャン」と音頭をとって待つところからこの名前がついたとされる。羅臼の道の駅2階では、この音頭を再現しながらちゃんちゃん焼きを食することができる。

▶ザンギ

広義でから揚げの意味がある。鶏のみならず魚介類（タコ、イカなど）のから揚げに対しても用いられる。釧路地区で鶏肉をから揚げにして出したのが始まりとされる。最近ではから揚げすべての愛称として、トリザンギ、イカザンギ、タコザンギなど揚げる中身で区別しているものもある。

▶厚岸のカキ（マガキ）

厚岸地区は周りを山に囲まれ、自然のミネラルが豊富に循環。それを利用してカキの養殖事業が軌道に乗り、その出荷量は300トンに及ぶほどになった。旬は9〜4月といわれる。

▶ホタテ

サケ、昆布と並んで北海道の水産物優等生と呼ばれているホタテは、オホーツク沿岸の猿払、湧別、紋別、常呂を中心に9〜12月に旬を迎える。加工事業者も多く生食、乾燥物と広く利用される。また中国料理の高級具材として長く香港、台湾、中国本土向けに輸出も盛んだが、昨今は中国国内生産に押され苦戦を強いられている。

▶鮭とば

秋ザケを半身にし、皮つきのまま細く切り、海水で洗って潮風の吹く寒風にさらし乾燥させたもので北海道の漁師町では広く見かける冬の風物詩となっている。漢字では「冬葉」と書き、保存食としてアイヌの人たちから教わった調理法ともいわれる。

▶新巻鮭

冷凍技術が発達していない古くから、秋に獲れたシロザケの内臓をとり塩を詰め、長期保存するための技術として、発達した伝統の保存方法。首都圏の正月料理の具材としても、広く日本人の食卓にのぼり定着している。

▶筋子、イクラ

サケのメスの卵巣を長期保存するために塩漬け、醤油漬けにして流通したもの。また、獲れたての生筋子を加工しツブツブ状にしたイクラも、塩や醤油で味付け加工され、寿司ネタや正月料理の具材、生酢などには欠かせないサケ料理の逸品。

▶アマエビ、ボタンエビ

日本海側のアマエビは通年漁獲され、寿司ネタや海鮮丼の主役として欠かせない一品。ボタンエビとも呼ばれているトヤマエビの漁獲はエビ全体の20％程度。

▶ジャガイモ

十勝・虻田地区の農産物を代表するジャガイモは北海道の実りの秋を代表する作物。北海道は日本のジャガイモの作付け面積の60％程度を占めている。農場は広大で作付けから収穫まで大型機械が活躍するのも特徴。大手菓子メーカー・カルビーは十勝平野に大規模な加工場、専用農場を有している。品種改良もさかんで現在は主力の男爵、メークインの他、インカのめざめを代表とするさまざまな種類のイモが作付けされている。右ページ上の写真はジャガイモ畑の風景。

▶スープカレー

　旬の野菜（ニンジン、カボチャ、ピーマン、ナスなど）の具材と肉を大ぶりのまま入れ、各店独自のスープ状スパイスで煮込んだスープカレーは1970年頃から札幌でお目見えし、2000年以降ブームに火がついた。札幌市内中心部には「スープカレー横丁」まで登場しているが、函館市や田園風景の広がる美瑛・富良野地区のファームレストランでも人気が集まっている。

▶ハスカップ

　ハスカップは、スイカズラ科スイカズラ属の落葉低木で、甘酸っぱい味と香りをもつ。ハスカップを利用したスイーツなどもある。

▶エスカロップ

　タケノコを入れたバターライスの上にトンカツをのせ、さらにその上にドミグラスソースをかけた料理。

▶三平汁

　昆布でだし汁をとり、サケ、タラ、ホッケなどの魚とニンジン・ジャガイモ・インゲンなどの野菜を、昆布だしで煮立てた汁物。冬の北海道の郷土料理。昔、松前藩の殿様が、狩りのついでに立ち寄った斎藤三平という松前藩の賄方の家で食事に出された塩サケをベースにした透明な汁が語源とされ、道南地区ではサケを使った味噌仕立ての味噌三平と、タラを使った塩仕立ての塩三平がある。

▶ウニイクラ丼

　ウニ漁の解禁は6月で8月には漁を終える。またイクラは秋にサケが遡上する時期に旬を迎えるため、ウニとイクラが同じ丼にのせられる時期は微妙にずれている。北海道のウニは大別してキタムラサキウニとエゾバフンウニの2種類で、おもに日本海側沿岸部を中心に養殖事業によって営まれている。名前が悪いという話も出ているエゾバフンウニだが、漁師仲間ではガンゼと呼ばれ、味もつやも濃厚なのが特徴。

▶昆布

　北海道は昆布の産地として知られる。日高昆布（三石昆布）、真昆布、羅臼昆布、利尻昆布、長昆布などが知られている。

▶昆布製品

　函館地区沿岸で多く収穫され、特に南茅部地区のものは最高級品として珍重。大阪ではこれをおぼろや

白髪などとする加工文化がある。

▶利尻昆布

古くから高級昆布として流通しており、だし昆布としては透明感が強く、関西地区、とりわけ京料理には欠かせない具材となっている。

▶がごめ昆布

道南恵山地区を中心とする渡島半島南東部海岸にだけ生息するフコイダン（昆布のネバネバした主成分）含有量が最も多いとされる昆布で、昆布の表面にあるかごの目に似た凹凸が名前の由来とされている。フコイダンには、がん細胞の抑制作用や花粉症などのアレルギー緩和作用にも効果があるといわれる。

▶ユリ根

99％が道産品のユリ根は、京料理には欠かせない食材。北海道では真狩村が全量の46％を生産している。ユリ根を使った加工品「ゆりねぜんざい」もできている。

▶松前漬

昔、松前藩の殿様が漁師の家に宿泊、その際振る舞われた料理として出されたイカ、昆布などを漬け込んだ伝統の逸品。ニシン漁が盛んな頃、余ったカズノコを長期保存するために考案された料理で、一般的にはカズノコ、昆布、するめとタマネギ、ニンジンを細切りにして、醤油ベースのたれに漬け込んだもの。酒の肴にもご飯にもぴったり。

▶数の子松前漬

吟味したカズノコの一本羽を贅沢に使った、北海道を代表する高級珍味。カズノコの旨みを引き出すよう味付けを薄めにし、がごめ昆布やするめの旨さを加えた逸品である。

▶本造り松前漬

選りすぐりの昆布、スルメ、数の子を、昔ながらの粋な手づくり製法をもとに丹念に漬け込み、黒醤油をベースとした深みのある色合いと豊かな風味をつくり上げている。

▶幌加内そば

道北幌加内地区は日本一の作付け面積を誇る文字どおり蕎麦の街。幌加内では毎年収穫期にあたる9月に「新そば祭り」が開催され、地元高校生による蕎麦打ちが人気を得ている。

▶夕張メロン

7～9月に夕張地区限定で栽培される夕張キングという赤肉メロンを夕張メロンと呼んでいる。毎年5月に出荷される初競りで高値がつく。7月後半から露地物が登場する頃になると価格も下がり、規格外品は加工用としてアイス、ゼリー、菓子の材料として使われている。

▶富良野メロン

夕張地区と並んで多くのメロン生産量を誇る富良野地区、ルピアレッドという品種が主力で富良野、中富良野、上富良野地区は十勝連峰に囲まれ寒暖の差が大きく、甘みの濃いのが特徴になっている。

▶仁木町のブルーベリー

7〜8月、北海道ではおもにハイブッシュ・ブルーベリーという種類が栽培され、冷涼な気候とあいまって酸味がほど良く果肉も詰まっているのが特徴。ブルーベリーに含まれるアントシアニンは他の果実・野菜の中でも特に豊富で、目の疲れ防止に役立つといわれている。

▶札幌ラーメン

元祖はなんといっても味噌ラーメン。南1条西3丁目にある「味の三平」店主、故大宮守人氏が考案したのが最初だとされる。昨今は広く東アジアの観光客にも評判で、すすきのラーメン横丁や、札幌ら〜めん共和国は多くの来訪者で賑わっている。

▶ラーメンサラダ

最近では、全国チェーンの外食店でも定番メニューに挙げられるが、札幌が発祥の地であることはあまり知られていない。札幌の老舗「札幌グランドホテル」の調理長・故佐藤保氏が25年前考案したのが始まりとされる。冷やしたラーメンと野菜の相性がとても良く、女性に好評だったのが広まる結果につながった。

▶石狩鍋

1880年（明治13年）創業の石狩川河口の「金大亭」が元祖とされる。地元漁師が賄い料理として味噌仕立ての鍋の中に生サケを入れ、秋野菜、タマネギ、長ネギ、ダイコン、シイタケ、ニンジンなどと一緒に煮込む北海道を代表する鍋。毎年サケの遡上する9月下旬、札幌市の近郊石狩浜で2日間にわたって行われる「石狩さけまつり」も有名。

▶ジンギスカン

　戦後、食糧難の時代に帰還兵がつくった羊肉を使った鍋料理が始まりといわれている。ジンギスカン料理には2タイプあり、札幌「月寒亭」を元祖とする各店独特のつけだれに、真中が膨らんだ形状のジンギスカン鍋で焼いた羊肉とタマネギ、モヤシ、ピーマン、ジャガイモ、カボチャなどの旬の野菜とともに食べる方式と、「滝川松尾ジンギスカン」を元祖とするあらかじめ漬け込んだ羊肉を野菜とともに鍋で炒め食べる方式とがあるとされる。ジンギスカン料理は北海道を代表する郷土料理に認定されている。

▶ごっこ汁

　毎年12〜1月頃、水揚げされるゴッコ（布袋魚）を醤油ベースの汁にしたこの北海道独特の郷土料理。ゴッコは深海魚でその愛らしい名前とともに、コラーゲンを多く含み、最近の美容ブームも重なって人気が高まっている。

東北地方

青 森 県

▶どんこ汁

三陸の冬の味覚のタラ目チゴタラ科（エゾイソアイナメ）の鍋料理。ウロコをとったら内臓も含めてブツ切りにして、味噌仕立ての鍋に入れる。野菜はニンジン、ダイコン、ネギ、ゴボウなど。

▶けの汁

多くはダイコン、ニンジン、ゴボウなどの野菜類と、フキ、ワラビ、ゼンマイなどの山菜類、油揚げ、豆腐、凍み豆腐などの大豆製品を基本的な材料とし、これらを刻んで煮込み、味噌や醤油で味付けした素朴な郷土料理。津軽だけでなく、青森の隣の秋田県でも「きゃの汁」「きゃのっこ」などと呼ばれつくられている。

▶いちご煮

いちご煮は、青森県八戸市とその周辺の太平洋沿岸に伝わる郷土料理。ウニとアワビ（ツブ貝などでの代用もある）の吸物。赤みが強いウニの卵巣の塊が、野イチゴの果実のように見えることからこの名がついたとされる。

▶タラのじゃっぱ汁

じゃっぱ汁は青森県の郷土料理。タラの身をおろしたあとの頭、えら、中骨、内臓を「じゃっぱ」といい、これにダイコンやネギを入れて味噌仕立てにしたもの。

▶せんべい汁

せんべい汁は、青森県八戸市周辺の郷土料理。せんべい汁の具にすることを前提に焼き上げた「小麦粉」と「塩」を鉄製のせんべい型で焼いた約600年も前から伝わる南部煎餅を用い、醤油味で煮立てた汁物。一般的に醤油ベース（味噌・塩ベースもある）の鶏や豚のだし汁でゴボウ、キノコ、ネギなどの具材とともに煮立て、その中にせんべいを入れて煮込んで食べる。

▶大間まぐろ

　青森県大間産の本マグロ、「大間のまぐろ」として名を知られている。高値で取引されることでも有名。

▶そばかっけ

　青森県の郷土料理で小麦粉や蕎麦粉をこねて薄く伸ばし、三角形に切ったもの。岩手県北部でも食される。「かっけ」とは蕎麦のかけら、端っこのこと。

岩手県

▶じゃじゃ麺

　肉味噌とキュウリ、ネギをかけ、食べる時は好みでラー油やおろし生姜やニンニクをかける。岩手県盛岡市でわんこそば、冷麺と並んで「盛岡三大麺」と言われる麺料理のひとつ。

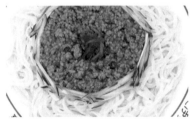

▶盛岡冷麺

　岩手県盛岡市の名物麺料理。わんこそばなどと並び盛岡では有名で、麺は強いコシが特徴。

▶前沢牛

　岩手県奥州市前沢区で肥育された黒毛和種の和牛が、一定の規格を満たした場合に呼称を許される銘柄牛肉。岩手ふるさと農協（JA岩手ふるさと）によって商標登録されている。

▶南部鼻曲がり鮭

　サケのうち、岩手で水揚げされるシロザケのこと。産卵期の雄は鼻がカギ状に曲がるためについた名前。

▶真崎わかめ

　岩手県宮古市田老真崎海域及び近隣海域で収穫されたわかめ。

▶小岩井農場の乳製品

　1891年（明治24年）に開設された日本最大の民間総合農場として、小岩井ブランドの乳製品がある。岩手県の代表的観光地としても知られている。

宮城県

▶はらこ飯

はらことはイクラの方言で、サケの身と子を使った親子丼のこと。炊いたご飯の上に、サケの身とイクラをのせたもの。東北各地で駅弁としても売られている。

▶温麺（うーめん）

宮城県白石市で生産されるそうめんの一種。醤油や味噌でつくった汁につけて食す温麺は口あたりが良く食べやすい。白石温麺とも呼ばれ、「うーめん」あるいは「ううめん」と仮名で表記されることも多い。

▶ずんだ餅

「ずんだ」とは枝豆のことで、南東北を中心にした地域で生産される枝豆を使った郷土菓子。他にも、じんだ（ん）餅、ずんだん餅、ぬた餅（以上東北地方）、ばんだい餅（栃木県）といった呼び名がある。東北では「ずんだもづ」「ぬだもづ」などとも発音される。

▶フカヒレ

中国料理の高級食材として使われるフカヒレ。気仙沼港周辺にはフカヒレ料理店が数十店あることで知られている。

▶ササニシキ、ひとめぼれ

広く豊穣な平野部をもつ宮城県では、ササニシキ、ひとめぼれなどの稲作中心の農業が行われており、米どころとして有名。ひとめぼれは良食味と耐冷性を併せ持つ品種の育成を目的としたコシヒカリと初星との交配から育成が開始された米。

▶仙台味噌

赤味噌の代表格。藩主伊達政宗が仙台城下に建設した御塩噌蔵（おえんそぐら）と呼ば

れる味噌醸造所でつくらせた味噌が一般庶民へと広まったもの。米麹と大豆でつくられており、辛口の赤味噌。風味高く、そのまま食べることもできるため「なめ味噌」とも呼ばれる。

秋田県

▶ハタハタ

秋田県の県魚。おもに食用で、しょっつると呼ばれる魚醤(ぎょしょう)(魚を塩漬けにして出た汁)をもとにした鍋で食される。

▶ジュンサイ

最近では栽培されるものもあるが、もともときれいな水の池などに自生する水生植物。若芽の部分を食用とし、鍋料理などに用いられる。

▶とんぶり

ホウキギ(ホウキソウ、ホウキグサ)の実を加熱した加工品。秋田県の特産のひとつ。旬は10〜11月。

漢方では、「地膚子(じふし)」と呼ばれる。

▶いぶりがっこ

秋田県に伝わるいぶり漬けのことで県を代表する漬け物。ダイコンを囲炉裏の上に吊るして燻製にしてから、おもに米糠と塩で漬け込んだもの。秋田の方言で漬物のことを「がっこ」という。

▶桧山納豆(ひやま)

県北西部の沿岸に位置する能代(のしろ)特産の束雲(しののめ)(白神)大豆のみを使った納豆。

▶比内地鶏(ひないじどり)

薩摩地鶏や名古屋コーチンと並んで、日本三大地鶏に数えられる。比内地方の黒土を主とした土壌は、その性質から鶏を育てるのに非常に適しており、同じ種の鶏でも比内地方で育ったものは美味になるといわれている。

山形県

▶ウコギ料理
「ウコギ」とはウコギ科の植物で、切り和え、おひたし、ご飯、天ぷらなどで食される。いずれも風味が活かされ、春を感じさせる旬の料理として知られている。

▶もってのほか
山形県は食用菊の生産量で全国第1位。東京都中央卸売市場で扱う6割以上は山形産が占める。数ある品種の中でも、独特の香りと風味、味の良さで「食用菊の横綱」と評価されるのが、淡い紫色の「もってのほか」。

▶だだちゃ豆
深いコクをもつ大豆銘柄のひとつ。枝豆用としても使用され「枝豆の王様」といわれる。山形県鶴岡市の特産。「だだちゃ」は、庄内地方の方言で「親父」、「お父さん」のことをいう。

▶くじら餅
山形県新庄市・最上地区、青森県鯵ヶ沢町（あじがさわ）・青森市浅虫温泉（あさむし）付近などで古くから伝わる郷土菓子。餅米とうるち米の粉を水で練り、箱の中で伸ばし、むきクルミ・砂糖水や黒砂糖を加えて蒸したもので、味噌・醤油・あんなど多彩な種類がある。

▶平田赤ねぎ
山形県酒田市産の赤ネギで食味と紅色に特徴。生では辛さが目立ち、煮ると甘い口合わせになる。江戸時代末期の北前船によりもたらされたとされる。

▶米沢牛
（よねざわぎゅう）

山形県米沢市およびその周辺の置賜（おきたま）地方で食用に供するために飼育される和牛である。松阪牛・神戸ビーフとともに日本三大和牛と呼ばれる有名な牛肉である（なお、米沢牛の代わりに近江牛を含める場合もある）。駅弁にもなっている。

福島県

▶三五八漬け
（さごはちづけ）

福島県をはじめ山形県でも食される郷土料理で、麹で漬けた漬物のこと。名前のとおり漬床に塩、麹、米をそれぞれ容量で3：5：8の割合で使用するためにこの名がついた。

▶しんごろう

うるち米を半つき（米から糠が除かれる程度が、完全精米の50％であること）にして握ったものを竹串に刺し、味噌にすりつぶしたエゴマなどを混ぜ合わせた十念味噌（じゅうねん）を塗ってこんがりと炭火で焼いたもの。会津の郷土料理。

▶こづゆ

会津一円から郡山地方の郷土料理。地元では冠婚葬祭の際に欠かせない一品。干し貝柱のだし汁で新鮮な海の幸やサトイモ、糸コンニャク、キクラゲ、豆腐などを煮込んだ薄味仕立ての汁。仕上げに青菜をのせる。こづゆでサケを飲む習わしもある。

▶ウニの貝焼き

獲れたてのムラサキウニの生殖腺（精巣・卵巣）をホッキ貝（ウバガイ）の殻に盛り、火にかけた、福島県いわき市の代表的な郷土料理。

▶頭巾はずし

ダイコンの葉の塩漬けあるいは古漬けを刻んで納豆と混ぜ、辛子醤油で味付けしたもの。あまりの美味しさに、弘法大師が頭巾をとって食べた、とその名がついたといわれている会津の料理。

関東地方

茨城県

▶納豆

大豆を納豆菌によって発酵させたもの。平安時代から知られたものの、水戸光圀が備蓄食料として奨励したため、茨城県での生産が多いといわれるが定かではない。なお、水戸納豆は、納豆のブランド名のひとつ。

▶干しイモ

サツマイモを蒸して乾燥させたもの。保存食として全国に広まっているが、茨城県が大半を生産している。製造の手間はかかるが、天日で1週間程度干すことで甘みが増す。

▶アンコウ鍋

ホンアンコウをおもな具とする茨城県の冬を代表する鍋料理。深海魚で見た目に特徴があるが、骨以外はすべて食べることができる。現在、漁獲高は山口県が多い。キモをすりつぶして入れるどぶ汁が主流。

▶奥久慈しゃも

茨城県北部の奥久慈地帯で飼育されている地鶏。名古屋種とロードアイランドを交配させた種の雌とシャモの雄を交配したもので、低脂肪で歯ごたえがある。

栃木県

▶かんぴょう

ウリ科ユウガオの果実（フクベともいう）を薄く削って乾燥させてつくられる。水で戻して煮て寿司の具材や、煮物、和え物などとして使われる。栃木県は全国生産の90％以上を占める。

▶しそ巻き唐辛子

塩漬けにした唐辛子1本の種を抜き、同じく塩漬けにした赤シソで巻いたもの。1本ずつ手で巻くため、機械による量産ができない日光の伝統品。これを細かく刻んで温かいご飯で食べると食欲が増す。

▶しもつかれ

栃木県、群馬県、茨城県でつくられる郷土料理。初午の日に赤飯とともに稲荷神社に供える行事食。サケの頭と野菜の切り屑などを大根おろしと混ぜる。地域により名称が異なる（しみつかり、しみつかれ、すみつかれなど）。

▶日光ゆば

ゆばは大豆加工品。豆乳をつくり、これを煮た時、表面にできる薄い膜を引き上げたもの。日光と同じく京都もゆばの産地として有名だが、京都のゆばは仕上がりが平たいのに対して、日光のゆばは幾重にも巻き上げるため、丸くボリュームがある。京都は「湯葉」で、日光は「湯波」と書くことが多い。

▶佐野ラーメン

栃木県佐野市を中心とした関東地方ご当地ラーメンのひとつ。青竹打ちによるコクのある平麺と透き通った醤油味のスープが特徴。

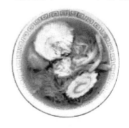

群馬県

▶コンニャク

群馬県はコンニャクイモの全国生産量の9割以上を占め、下仁田が特に有名な産地。

▶おっきりこみ

群馬小麦粉を使った手打ちうどんとサトイモやダイコンを味噌仕立てで煮込んだ鍋に切り込んだことから名前がついた郷土料理。他に埼玉県など麦作地帯でも見られる。

▶だるま弁当

炊き込みご飯の上に、タケノコ・コンニャク・クリ・ゴボウ・鶏肉などのおかずがのせられている。だるまの顔をかたどった容器が特徴。

▶峠の釜めし

益子焼の釜を器とし、薄い醤油味の炊き込みご飯が入れられている。安中市にある「おぎのや」が製造・販売する駅弁。

▶水沢うどん

やや太めでコシがあり、透き通ったような白い麺。渋川市伊香保町水沢付近でつくられる。一般

的に醤油だれとゴマだれなどのつけ汁で、冷たいざるうどんとして提供されることが多い。

▶下仁田ねぎ

白い部分が太く、深いことが特徴の下仁田町の特産ネギ。加熱すると甘みが強くなり、非常にやわらかい滑らかな食感をもつ。他地域での生産は難しく、下仁田の特定地域で収穫されたものに限られるといわれる。

埼 玉 県

▶狭山茶

埼玉県西部の所沢市・入間市・狭山市の狭山丘陵及び東京都西多摩地域を中心に生産されているお茶。江戸時代に栽培が普及したとされる。伝統の火入れ（仕上げ時に熱を加えることで、茶の貯蔵性や香気を高める工程）により狭山茶特有の濃厚な甘味が出るといわれる。

▶深谷ねぎ

全国的なブランドとして知られる。品種名ではなく、深谷地方で栽培されたネギの総称。

▶五家宝(ごかぼう)

熊谷市・加須(かぞ)市などの伝統的な和菓子。餅米に砂糖と水飴を加えて練り、きな粉を表面にまぶす。やわらかい「おこし」(和菓子)のような食感。江戸時代発祥といわれる。

▶草加せんべい

草加市および周辺でつくられるせんべい。江戸時代の宿場町の名物は塩せんべいだったが、周辺で醤油がつくられてから醤油が塗られるようになった。明治以降、産地として全国的に有名。

▶塩あんびん

塩で味付けした大福。砂糖は使わない。「あんびん」は「塩餅」のこと。加須市・久喜市などで古くから食べられてきた和菓子。

千葉県

▶いわしなれ寿司

外房の九十九里地域に古くから伝承されてきた郷土料理。地元で揚がる新鮮なイワシを酢漬けにし、酢飯と薬味を層にしていき、押し漬け込むもの。

▶ひしこの押し寿司

房州鴨川で水揚げされた新鮮なカタクチイワシと鴨川の長狭米(ながさまい)、北海道南茅部産の昆布を使った押し寿司。千葉県はカタクチイワシの漁獲量が多い。

▶なめろう

新鮮な魚とネギ、味噌、生姜、シソを細かく叩き、生で食す。房総半島沿岸部周辺に伝わる郷土料理で、たたきの一種。漁師の船上料理が発祥とされる。

▶野田醤油

江戸時代に溜醤油（たまりじょうゆ）をつくったことが発祥といわれる。大正時代に現在のキッコーマン株式会社の前身の会社が設立された。

▶ぬれせんべい

せんべいは堅いものという常識を覆す一品。せんべいの生地を焼いたあと、まだ熱いうちに醤油につけしっとりとさせたもの。その歯ざわりと濃厚な醤油味が特徴。

▶八街産（やちまた）落花生

全国の約75％（2009年統計）を占める千葉県産の落花生の中で、土壌が生育に適した八街市では明治時代から栽培され、風味と味わいで日本一といわれる。

▶ナシ

酸味が少なく甘い「幸水（こうすい）」の収穫が多く、日本ナシの収穫量で千葉県は全国最大の産地である。

東 京 都

▶おでん

だし汁を醤油などで味付けしたつゆに、ダイコン、ちくわ、コンニャク、ゆで卵などさまざまな具材を入れて煮込んだ料理。江戸で醤油味の濃いだし汁でつくられたことが発祥だとされる。

▶ウナギの蒲焼き

江戸前（東京湾）のウナギの焼き方は頭を落として背開きをして

から白焼きにし、ひと蒸ししてからたれをつけて焼く。江戸前の蒲焼きは江戸時代初期に確立したといわれる。

▶すき焼き

肉を浅い鉄鍋で煮る料理。だし汁に醤油・みりん・砂糖・酒などの調味料を加えて煮立てた割下(わりした)を用いた甘辛い味付けの料理。牛鍋(なべ)ともいわれるように、東京では明治の牛鍋が発祥とされる。

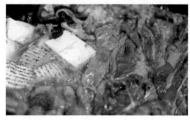

▶天ぷら

新鮮な魚介類に小麦粉と卵でつくった衣をつけ、油で揚げた料理。本来は魚介類を「天麩羅」と呼び、野菜は「精進揚げ(しょうじんあ)」と呼んだ。名称は、油で揚げる料理の起源により、関西では魚のすり身を素揚げしたものを指す。

▶柳川鍋

ドジョウを笹掻(ささが)きゴボウと煮て、卵とじにした料理。江戸生まれの鍋料理。江戸時代にはドジョウもゴボウも精のつく食材とされていたため、暑中に食べるものとされていた。

▶江戸前寿司

江戸前(東京湾)の豊富で新鮮な魚介類を材料とした、握り寿司を中心とする、江戸の郷土料理。

▶ちゃんこ鍋

おもに大相撲の力士が食べる鍋料理。力士の食事そのものを「ちゃんこ」という。鶏ガラでだし汁をとることが多い。力士が廃業したあと、そこで身に付けた調理法を活かし、ちゃんこ料理屋を開業して広まった。

▶べったら漬け

塩漬けにしたダイコンを塩抜きしたあとに、米麹・砂糖・みりんなどで漬け込んだ甘みのある漬物。表面に甘酒の麹がべっとりつくことから名前がついたといわれている。

▶佃煮

小魚・貝・海苔などを醤油・みりん・砂糖などで煮込んだもので保存性が高い。江戸時代、隅田川河口に島としてあった佃島が発祥といわれるが、全国の郷土料理にもなっている。

▶雷おこし

江戸浅草の雷門前で売り始めたといわれる「おこし」。米を蒸し、その後いって膨らませたものに水

飴、砂糖、落花生などを混ぜて固めた和菓子。さくさくした食感が特徴。

▶くさや

　伊豆諸島の特産。魚類の干物のひとつで、焼くと独特のくさみがある。新鮮な魚を塩分の強い「くさや液」と呼ばれる魚醬に似た液に浸潤させたあと、天日干しにする。

神奈川県

▶シューマイ

　中華料理における点心（中華料理の軽食）のひとつ。豚のひき肉、野菜のみじん切りに味をつけて、小麦粉の皮で包み、蒸したもの。全国的にも広く行き渡っているが、日本のシューマイ発祥の地とされる横浜中華街のほとんどの店では定番の名物として有名。

▶松輪サバ

　三浦市松輪漁港で水揚げされる。サバの高級品として珍重されている。同じく高級サバのブランドとして知られる大分県佐賀関の「関さば」と並び称されている。

▶小田原ひもの

　小田原で獲れたアジやカマスなど小田原産の魚を開き、干したもので、江戸時代に保存食として売り出したのが始まりとされる。

山梨県

▶ワイン

　山梨県のワイン産業は、明治初期に勝沼の2人の青年がフランスで学んだワイン醸造技術を地元に広めて以来着実に発展し、現在では約80社のワイナリーが国内の約4割のワインを生産する日本一のワイン王国となった。

▶煮貝

アワビをそのまま、醤油ベースの煮汁で煮浸しにした加工食品。アワビと同じミミガイ科のトコブシを用いることもある。海から離れた山梨県ならではの料理でもある。江戸時代、伊豆沖で獲れた新鮮なアワビを甲州に送るため、醤油で加工して運んだのが始まりといわれている。

▶ほうとう

山梨県を中心とした地域でつくられる、野菜とうどんを入れて煮込んだ郷土料理。一般的なうどんより太いのが特徴。2007年、農林水産省が各地のふるさとの味から選定した「農山漁村の郷土料理百選」の中のひとつに選ばれている。

▶八幡いも

山梨県甲斐市で生産されているサトイモ。甲斐市竜王町の特産。肥沃な大地で収穫されたこのサトイモはきめ細かい繊維と粘り気がある。

▶信玄餅

甲州銘菓。甘い餅にきな粉と黒蜜をからめて食べる。桔梗屋の桔梗信玄餅が有名。

（　北陸地方　）

新　潟　県

▶笹だんご

あんの入ったヨモギ団子を数枚のササの葉でくるみ、スゲまたはイグサの紐で両端をしばり中央で結んで蒸した和菓子。

▶ちまき

餅米やうるち米の粉でつくった餅を、笹の葉や竹の皮などで円錐形や三角形に巻き上げて蒸したもの。

▶どんびこ煮

サケの心臓を「どんびこ」といい、それを集めて甘辛く煮た貴重品。

▶わっぱ煮

熱くした石を入れて煮る浜料理。曲げわっぱ（木の板でできた器）に新鮮な魚を入れ、ネギ、味噌、水を加え、そこに熱した石を入れてわっぱの中を煮る。新潟県北部に浮かぶ、粟島の名物料理といわれる。

▶へぎそば

新潟県小千谷が本場のそば。つなぎに布海苔（ふのり）という海草を使った蕎麦で、へぎ（板）という器にもられることから名前がついたとされる。

▶おけさ柿

佐渡島原産の平核無柿（ひらたねなしかき）を渋抜きしたもの。甘くて、みずみずしい高級品である。種なしカキとして有名な「おけさ柿」は、古くから伝わる越後七不思議に次ぐ8番目として八珍柿（はっちんがき）を改良したもの。

▶えごねり

イギス科の海草、エゴノリを水に漬けて戻し、煮溶かしたのち、固まったら短冊状に細長く切ってゴマ醤油や辛子醤油などで食べる。新潟の伝統食品だが、西日本で「いぎす豆腐」と呼ばれる料理と同様。

▶車麩（くるまぶ）

ドーナツ型の麩。新潟県だけでなく、北陸地方全域で吸い物、味噌汁、酢の物、すき焼き、寄せ鍋、茶碗蒸し、うどんなど多くの料理に使われる。

▶村上茶

江戸初期に藩主の奨励で宇治の茶の種を播いたのが始まりといわれる。茶栽培を行う国内の寒冷地は他にもあるが、歴史をもち商業的な産地として今でも栽培が続けられている。昼夜の寒暖の差が大きく、日照時間が短いためタンニン（渋みのもと）が少ない。

富山県

▶いとこ煮

小豆をやわらかく煮た煮物料理で、各地に伝わる郷土料理のひとつ。富山県以外でも新潟県や山口県などにも伝わる。ダイコン、ニンジン、サトイモ、ゴボウと、コンニャク、油揚げなどを煮たものに、下茹でした小豆を加えて、味噌や醤油、塩などで味付けしたもの。

▶イカの黒作り

スルメイカの肝を発酵させてつくる塩辛にいか墨を入れて、黒くした富山県の伝統食品。江戸時代からの保存食。酒の肴に最適な珍味。

▶ますのすし

富山県の郷土料理。酢飯の上にピンク色のマスを敷き詰めた「ますのすし」は駅弁としても知られ、サクラマスを使い発酵させずに酢で味付けした押し寿司。

▶げんげ汁

「ゲンゲ」というアナゴのような細長いぬめりのある魚を入れた汁。日本各地で獲れるので、名前もさまざまある。

▶ホタルイカの沖漬け

富山市・滑川市・魚津市で水揚げされるホタルイカを醤油に漬け込んだもの。沖漬けとは釣り船に漬けだれを持ち込み、生のまま漬け込むことで、文字どおり沖で漬けたものだという。

石川県

▶かぶら寿司

寿司の元祖ともいえる、なれ寿司の一種。石川県ではカブを「かぶら」と呼んできたが、まず塩漬けにしたブリの薄切りを、塩漬けにしたカブではさみ込む。そのあと細く切ったニンジンや昆布などとともに、米麹（糀）で漬け込んで醗酵させてできあがりとなる。

▶福梅
ふくうめ

　古くから親しまれてきた最中。正月の縁起菓子だったため紅白で、加賀藩・前田家の家紋をモチーフとしている。

▶くちこ（海鼠子、口子）

　ナマコの卵巣を干したもの。冬に産卵期を迎えて肥大した卵巣が口先にあることからこの名前がついた。「このこ」とも呼ばれる。1枚つくるのに10キロ以上のナマコが必要だといわれる。

▶いしるの貝焼き

　いしる（いしりともいう。イカの魚醤）を薄め、ホタテの貝殻を鍋代わりに使って野菜やイカ、甘エビなどを入れ、煮ながら食べる。本来は塩辛さに特徴のある味付けでも、近年は薄味になったといわれる。

▶堅豆腐
かたどうふ

　豆腐をつくるにあたり、濃度の濃い豆乳を使ったり、にがりの代わりに海水を使うなどで保存できるようにした豆腐。石川県だけでなく富山県、徳島県他、各地でもつくられている。流通の不便な豪雪地帯や山岳地帯、あるいは離島などに多い。

▶能登大納言
のとだいなごん

　石川県珠洲市周辺でつくられる小豆。大粒で形、色つやのよい小豆で高級和菓子に珍重される。小豆の名品種として名高い関西の丹波大納言が伝わり、土地の土壌に合ったためにつくられてきたとされる。

福 井 県

▶越前がに

　三国港・越前港・敦賀港・小浜港に水揚げされたズワイガニのこと。雄をズワイ、雌をセイコと呼ぶ。一般的には、ゆで上げて二杯酢にして食べる。

▶越前うに

　福井の海で育つ良質な海草をエサとして育ったウニを越前うにと呼ぶ。

▶越前そば

　蕎麦に大根おろしをのせてだし
汁をかけたり、大根おろしを混ぜ
入れただし汁をかけて食べること
から、「おろしそば」とも呼ばれる。

▶永平寺のごま豆腐

　永平寺は日本曹洞宗の第一道場
で750年余りの歴史がある名刹。
その永平寺の精進料理のひとつが
「ごま豆腐」。永平寺に伝わるゴマ
と葛粉をじっくりと時間をかけて
練り上げた精進料理のひとつ。

中部・東海地方

長野県

▶市田柿
（いちだがき）

長野県南部で栽培されるカキの品種で、保存食として干し柿にされる。14世紀頃に現在の長野県下伊那郡高森町の下市田で盛んに栽培され始めたという。

▶おやき

直径8〜10センチ程度の円形が一般的な菓子風の食べ物。小麦粉や蕎麦粉などを水で溶いて練り、薄く伸ばした皮に長野県特産の野沢菜や、小豆などのあんを包んで焼いたり蒸したりしたもので、稲作に不向きな土地ならではの家庭料理。焼き餅、あんびんなどとも呼ばれ、同様のものは全国各地に存在する。

▶おたぐり

馬の腸を煮込んだもつ料理の一種。長野県伊那市や飯田市に伝わる郷土料理。伊那市を含む上伊那地方は味噌味、飯田地方は塩味が多い。

▶そばがき

蕎麦粉を麺（そばがきに対して蕎麦切りともいう）としてではなく、直接熱湯か水を加え、箸などですぐかき混ぜる。食べやすい大きさにして醤油やつゆで食べる食品。蕎麦の産地では昔から手軽につくられていた。

▶野沢菜漬け

野沢菜（下高井郡野沢温泉村を中心とした信越地方で栽培されるアブラナ科の野菜）を塩漬けしたもの。浅漬けは各地で見られるが、乳酸発酵が進んだ本漬けは地元の名産となっている。

▶笹寿司
（ささずし）

戦国時代から伝わる押し寿司。クマザサの葉にひと口大にした寿司飯を盛り、ワラビなどの山菜や薬味をのせた郷土料理で、長野県だけでなく、新潟県などでも形を変えて見られる。

岐阜県

▶富有柿
<small>ふ ゆうがき</small>

　甘みが強く、肉厚、果肉がやわらかい大粒な甘柿。西日本を中心に各地で栽培され、甘柿で最も生産量が多い。

▶けいちゃん

　鶏肉を使用した岐阜県の郷土料理のひとつ。飛騨地方南部の下呂市や高山市南部、奥美濃地方の郡上市の家庭料理であるが1960年頃から、地元の精肉店や居酒屋で独自に改良されている。

▶朴葉味噌
<small>ほおばみそ</small>

　飛騨高山地方の郷土料理。自家製の味噌にネギなどの薬味、シイタケなどの山菜、キノコをからめたものを朴の葉にのせて焼く。朴葉味噌の上に野菜や飛騨牛などをのせて焼く形式もある。

▶アユのなれ寿司

　産卵期を迎えた子持アユを9月下旬に塩漬けし、翌年の5月になってからご飯に漬け替えて、杉樽の中でひと夏を越して熟成させる。乳酸発酵したご飯の酸味とアユの旨みが絶妙な美味しさ。長良川のアユを用いる。徳川家康が好み、江戸城に届けさせたといわれる。

静岡県

▶由比サクラエビ
<small>ゆ い</small>

　駿河湾由比ヶ浜で水揚げされるサクラエビ類。全国でもここのみで水揚げされる小型エビ。

▶焼津鰹節
<small>やいづ</small>

　焼津市で生処理・煮熟・焙乾製造した鰹仕上節・鰹荒仕上節・鰹荒節で、それらを原料とした調味料も含まれる。熟練した職人が丹念に日数をかけてつくる。

▶ワサビ

江戸時代に安倍川上流で栽培が始まり、伊豆半島や富士山麓に広まった。ワサビ栽培には清らかな水が必要であり、清流が豊富な静岡県は全国有数の産地で、下のようなワサビ園で収穫される。

▶静岡茶

静岡県牧之原台地とその周辺地域が最大の生産地であり、生産量は国内第1位（2009年農水産統計）。宇治茶と並び「日本二大茶」と称されることもある。

▶沼津ひもの

沼津は水産業が盛んであり、沼津港で水揚げされたアジ、サバ、サンマなどの干物が知られている。

愛 知 県

▶味噌煮込みうどん

味噌煮込みうどんは、愛知県の郷土料理のひとつ。名古屋圏で多く消費される豆味噌は、他の麦味噌・米味噌に比べ、煮込んだ際に風味が落ちにくい。味噌煮込みうどんもそのひとつ。太くて硬い麺のため「生煮え」「芯が残っている」とされることもあるが、最近では全国的に認知されて好まれるようになってきている。

▶ういろう

ういろうは米を用いた日本の蒸し菓子のひとつ。ういろ、外郎餅（ういろうもち）ともいう。ういろうは、室町時代からつくり続けられている小田原市の外郎（ういろう）家が発祥ともいわれ、日本各地でさまざまなういろうがつくられている。

▶かしわのひきずり

養鶏が盛んな名古屋を中心とした郷土料理。名古屋コーチンなど鶏肉を使用した、いわゆるすき焼き。名前の由来は、鍋にくっついた鶏肉をひきずるようにとるとい

うものなど諸説がある。

▶天むす

天むすは、エビの天ぷらを具にのせたおにぎり。発祥は三重県といわれるが、現在は名古屋（中京圏）の名物として知られる。

▶きしめん

名古屋市の名物で、薄くて平たい麺のうどん料理。江戸初期から刈谷市の名物として有名だったともいわれる。「きしめん」の語源は、「紀州の者がつくった“紀州めん”がなまってきしめんとなった」という説や、「雉の肉を麺の具にして藩主に献上したから」など諸説ある。

▶ひつまぶし

ウナギを用いた名古屋市周辺の郷土料理。ウナギの蒲焼きを細かく刻んで、小ぶりなお櫃に入れたご飯にのせて出される。ご飯を混ぜて食べることから、こう呼ばれ

る。

三重県

▶松阪牛

松阪牛は三重県松阪市及びその近郊で肥育される黒毛和種。米沢牛、神戸ビーフともに日本三大和牛のひとつといわれる。

▶焼きハマグリ

古くから桑名のハマグリとして知られ光沢のある美しい殻と大きくてやわらかい身をもつ。甘みと独特の風味がある。

▶てこね寿司

たれに漬けたマグロやカツオの刺身を酢飯と合わせる。

▶イセエビ

　日本では高級食材として扱われる。長いヒゲと曲がった腰を持つ姿は長寿のシンボルにもたとえられ、縁起の良い食べ物としても知られている。語源としては、伊勢がイセエビの主産地のひとつとされることに加え、磯に多くいることから「イソエビ」、転じてイセエビになったという説もある。

▶伊勢うどん

　溜醤油を用いた黒く濃いつゆで、三重県伊勢市を中心に食べられるうどん。

（ 近畿地方 ）

滋 賀 県

▶鮒寿司
（ふなずし）

フナを塩と米飯で発酵させたなれ寿司の一種。全国に同様のものはあるが滋賀県の郷土料理として有名。おもに琵琶湖の固有種であるニゴロブナが使用される。

▶あかこんにゃく

酸化鉄を加え赤く染色したコンニャク。昔から近江八幡でつくられている。

▶姥ヶ餅
（うばがもち）

餅をこしあんでくるんだ滋賀県を代表する郷土菓子。おもに草津市でつくられる。400年の伝統を受け継ぐ味わいで、香りが良く、控えめな甘さ漂う菓子。

▶近江牛
（おうみぎゅう）

滋賀県で肥育される和牛。歴史の古い食肉牛。

京 都 府

▶京菓子

京都の宮中や公家、寺社、茶家などで、行事や儀式に用いられた献上菓子の総称として京菓子と呼ばれる。「工芸菓子」や「細工菓子」などの別名もある。菓子に季節を表現することが一番大切なことで、五感で味わう菓子である。

▶京豆腐

京都の食膳には必ずといっていいほど登場する豆腐は、京都府を代表する食材。独特の味わいのある豆腐を使った料理がある。南禅寺豆腐（なんぜんじどうふ）は、京都の臨済宗総本山である南禅寺周辺にある。

▶千枚漬

カブを薄く切って昆布、唐辛子とともに酢漬けにした京都の漬物。普通はカブの中でも大きい京野菜の聖護院蕪（しょうごいんかぶら）を使う。樽に漬け込む枚数が1,000枚以上もの枚数となる、またはカブを1,000枚といえるほど薄く切ってつくるの

が名前の由来。京都の冬を代表する漬物であり、「千枚漬」の他に「柴漬け」「すぐき」を合わせて京都の三大漬物といわれ京都土産の定番のひとつとなっている。

▶柴漬け

　ナスを刻んだ赤シソの葉で塩漬けにした、京都の伝統的な漬物。

▶すぐき

　漬物のひとつ。京都の伝統的な酸茎菜（カブの変種）を原材料とする、現代の日本では数少ない乳酸発酵漬物。

▶にしんそば

　京都が発祥の蕎麦。つゆと甘辛く煮込んだ身欠きニシン（ニシンを保存用に乾かしたもの）と蕎麦、さらに香りがよくやわらかい京の青ネギを入れる。京都の蕎麦屋「松葉」の2代目が1882年（明治15年）頃考案したのが発祥といわれる。

▶八つ橋

　京都府京都市の銘菓。蒸した米の粉に砂糖とニッキ（シナモン）を混ぜて生地をつくり、琴の形に薄く焼いたせんべい。焼かずに、あんをはさんだ生八つ橋もある。

▶一休寺納豆

　一休がつくったといわれ、一休寺で代々の住職に伝えられてきた納豆。見た目は甘納豆で、塩辛い。

▶ハモの落とし

　骨切りしたハモに片栗粉をまぶし、湯引きしたもの。新鮮なハモをさっと湯通しし、すぐに氷水で冷やしてつくる。加熱によって身が開くため、牡丹の花に見えるところから、「牡丹鱧」ともいう。

▶京あられ、京おかき

　江戸時代、京において厳冬に餅をつき、固まれば薄く切り、陰干しにして、弱火で遠く（離して）炒り壺に入れ保存し、それを客に供していたという。

▶芋ぼう

　京都の伝統料理のひとつで、海老芋と棒ダラ（タラの干物）を炊き合わせたもの。京野菜である海老芋はサトイモの一種。

▶京菜

京野菜の代表格。アブラナ科の葉菜で、一般には水菜（ミズナ）とも呼ばれ、はりはり鍋（次ページ）に使われる。

大 阪 府

▶てっちり

フグを野菜などと水煮にしたちり鍋。猛毒にあたると死ぬという意味からフグを「鉄砲」と呼び、その「鉄砲のちり鍋」を略して呼んだ名前だとされる。

▶てっさ

てっさは、フグの刺身。「鉄砲のちり鍋」を略したてっちりと同じように、「鉄砲の刺身」を略して呼ばれる。

▶茶巾寿司

卵を茶巾状に薄焼きにし、シイタケやニンジンの入った酢飯を包み、かんぴょうで結ぶ。そこに茹でた小エビをトッピングした寿司。大正や昭和になってから創作されたという説がある。

▶箱寿司

木の箱を使い、押してつくる大阪発祥の寿司。江戸時代の寿司店でタイやエビ、アナゴなどの素材を用いた高級志向の寿司として考案されたのが始まりといわれる。

▶関東炊き

だし汁を醤油などで味付けしたつゆに、ダイコン、ちくわ、コンニャク、ゆで卵などさまざまな具材を入れて煮込んだ料理で、関東では「おでん」と呼ばれる。江戸時代に関東のおでんが関西に伝わったとする説がある。

▶かやくめし

関西で五目飯のこと。「加薬」は漢方薬用語に由来し、五目飯の具を意味する。

▶きつねうどん

大阪では油揚げをのせたうどんをきつね、油揚げをのせた蕎麦をたぬきという。いなり寿司と同様、キツネの好物が油揚げだとする説に由来するとされ、起源についても、江戸時代、明治時代など諸説ある。

▶たこ焼き

小麦粉の生地の中にタコの小片を入れ直径3〜5センチほどの球形に焼き上げた大阪発祥とされる料理。おやつ・間食として食べら

れB級グルメとされることが多い粉物料理である。

▶関西風お好み焼き

水で溶いた小麦粉を円状に広げ、刻んだキャベツを混ぜて鉄板上で焼く「のせ焼き」が主流。焼きそば用の蒸した中華麺を生地に混ぜた「モダン焼き」など、さまざまな種類がある。

▶ネギ焼き

お好み焼き同様の生地に握りこぶし2〜3個分ものネギを入れ、空気を混ぜ込んでふんわりと焼き上げ、醤油をベースにしたあっさり味のたれにレモンを搾って食べる。牛のスジ肉を使った「スジネギ焼き」などの種類もある。

▶串カツ

肉から野菜、海鮮など幅広い具を串に刺し、揚げたもの。ソースに漬けて食べるが、ソースへの2度づけは禁止されている。

▶どて焼き

牛のスジ肉を味噌やみりんで時間をかけて煮込んだもの。各地に似た料理があるが、串カツとともに大阪・新世界の名物として有名。

▶はりはり鍋

鯨肉と水菜を用いた鍋料理の一種。大阪府を中心とした関西地方の料理。「はりはり」は、水菜の繊維質によるシャキシャキとした食感からきた表現だといわれる。

兵 庫 県

▶黒大豆

篠山市を中心とする丹波地方は粘土質の土壌と昼夜の温度差が大きいため、黒大豆の生育に適し、古くから栽培されてきた。煮豆にしても皮がむけないのが特徴で、おせち料理の黒豆の材料に使われる。

▶ぼたん鍋

イノシシの肉を用いた鍋料理。猪肉の薄切りを牡丹に似せて盛りつける。日本各地で見られるが、兵庫県篠山市など丹波地方の郷土料理として有名。

▶イカナゴの釘煮

兵庫県淡路島や播磨地区から神戸市にかけての瀬戸内海東部沿岸部（播磨灘・大阪湾）の郷土料理。イカナゴの稚魚は地方により「コウナゴ」（小女子）、「シンコ」（新子）とも呼び、成長したものを「メロウド」（女郎人）、「フルセ」（古背）と呼ぶ。煮た姿が古釘に似ているのでついた名前。

▶明石焼き

鶏卵・だし汁・浮粉と呼ばれる粉と小麦粉・タコを材料に銅板で焼き上げ、だし汁で食べる兵庫県明石市の郷土料理。

▶揖保の糸

兵庫県手延素麺協同組合が有する手延そうめんの商標。おもに揖保川中流域のたつの市、宍粟市で生産される。奈良県の三輪素麺とともに、日本を代表するそうめん。

▶かつめし

皿に盛ったご飯の上にビフカツ（または豚カツ）をのせ、たれ（主としてドミグラスソースをベースとしたもの）をかけ、茹でたキャベツを添えた料理。兵庫県加古川市の郷土料理である。「カツライス」と呼ばれることもある。

▶そばめし

焼きそばとご飯を鉄板で炒めたソース味の焼飯。神戸市発祥の下町B級グルメとして親しまれている。

▶塩味饅頭
<small>しおみ</small>

　砂糖と、寒梅粉と呼ばれる餅を<small>かんばいこ</small>乾燥させて、粉末にしたものとを練り合わせた落雁のような生地でこしあんを包んだまんじゅう。あんに多めの塩を入れ、味を引き締め、甘さを抑えている。元禄時代から伝わるという。

▶明石鯛
<small>あかしだい</small>

　明石海峡または明石沖で獲れるタイ。潮流にもまれ、豊富なエサを得て育った明石鯛は、身が引き締まり、活きの良さと美味しさに定評がある。

▶三田牛
<small>さんだぎゅう</small>

　兵庫県の三田市で肥育・商品化（解体処理）された食用の牛のこと。黒毛和種の和牛であり、但馬牛を素牛とする。

▶神戸ビーフ

　兵庫県で生産、飼育された但馬牛（兵庫県産の黒毛和種の一種）

で格付けされた牛肉。米沢牛（山形県）・松阪牛（三重県）とともに、日本三大和牛のひとつ。

▶但馬牛
<small>たじまうし</small>

　兵庫県産の和牛で黒毛和種の一種。肉質が良く、さまざまな銘柄牛の素牛や種雄牛として知られている。別名として、但馬ビーフと呼ばれることもある。

奈 良 県

▶奈良漬

　酒粕に野菜を漬け込んだ漬物。酒の絞り粕にウリなどの野菜を漬け込んだ粕漬けは、奈良が発祥の伝統的な漬物。粕漬けとして古代より上流社会で珍重されたといわれる。

▶大和芋

　ナガイモが日本で栽培される以前からあるという奈良の伝統野菜。肉が緻密で粘度も高いため、

すり下ろしてとろろにもできる。

▶吉野本葛

奈良県の伝統的な特産で奈良県吉野地方産の葛粉。クズの根から取り出した葛でん粉だけを原材料とし、寒水にさらして精製したもの。料理や菓子に使われる。

▶大和肉鶏

奈良は戦前、愛知県、徳島県と並ぶ肉用鶏の大産地であり、奈良県で改良された大型の名古屋コーチンが「大和のかしわ」として京阪神で有名だった伝統をもつ。「かしわ」とは茶褐色をした和鶏およびその肉のこと。

▶飛鳥鍋

奈良地方の郷土料理。具は普通の鍋料理と同じだが、鶏ガラのだし汁に、牛乳を加え、まろやかさとコクを加えるもの。飛鳥時代から伝わる料理法だといわれる。

▶利休鍋

クズや生姜入りのだしで鶏肉や野菜を炊いた鍋で、クズや生姜による独特な風味ととろみをもっている。千利休が豊臣秀吉のためにつくったとされ、この名前で伝わっている。

▶やまとがゆ

大和河内地方の伝統郷土食で茶粥ともいわれる。ほうじ茶で炊いたお粥でサラッとしているのが特徴。

和歌山県

▶あぶりアユ

熊野地方山間部に伝わる保存食で、アユの燻製。

▶めはり寿司

熊野地方および奈良県吉野地方の郷土料理。おにぎりを高菜の浅漬けでくるんだもの。

▶尾の身の刺身

クジラの尻尾の付け根辺りの肉を刺身にしたもの。

▶なれ寿司

おもに川魚を塩と米飯で発酵させた保存食品。

▶和歌山ラーメン

和歌山県北部を中心につくられる豚骨醤油味のご当地ラーメンのブランド。

▶紀州梅干

紀州梅には代表的な「南高梅（なんこううめ）」と「古城梅（ごじろうめ）」と「小梅」がある。

中国地方

鳥取県

▶豆腐ちくわ
豆腐と魚のすり身を混ぜて蒸した鳥取県東部の名物。

▶イギス料理
海草「イギス草」を使った料理。精進料理などに用いられる。

▶ばばちゃん
岩美町の松葉ガニ漁の網に一緒に入ってくる深海魚。

▶らっきょう
鳥取砂丘で栽培されるらっきょう。

▶シロハタ寿司
シロハタ（ハタハタのこと）にオカラを詰めた寿司。鳥取市の漁港・賀露地区の家庭料理。

▶松葉がに
岩美町で水揚げされるズワイガニのこと。

島根県

▶宍道湖七珍
宍道湖で獲れる代表的な魚介類のうち七珍といわれる、スズキ、モロゲエビ、ウナギ、アマサギ、シラウオ、コイ、シジミ（ヤマトシジミ）のこと。

▶**出雲そば**

ソバの実を皮ごと石臼で挽いた蕎麦粉を使うため、蕎麦の色は濃く黒く見え、香りも強いといわれる。

▶**うずめ飯**

津和野など、島根県西部の山間部で食べられている郷土料理。

▶**スズキの奉書焼き**

春から秋にかけて、日本海から宍道湖・中海に入ってくるスズキを和紙で包んで焼く料理。

▶**ドジョウ料理**

どじょうすくい踊りで有名な安来節が本場の安来市の郷土料理として有名。

▶**ぼてぼて茶**

乾燥した茶の花で煮出した番茶を茶筅で泡立て、おこわなどの具を入れたおやつのようなもの。

▶**おまんずし**

オカラを使った姿寿司。江戸時代にオカラ寿司を売り出した寿司屋の屋号が名前の起源といわれる。

岡　山　県

▶**岡山白桃**

岡山県は、「桃太郎」にまつわる伝説で全国に広く知られている。白桃（白桃、清水白桃、大和白桃）の生産では日本一。

▶**千屋牛**

岡山県新見市千屋地区で育てられている黒毛和種およびその精肉（ブランド牛）。「ちやうし」ともいう。

▶ままかり

　小魚ママカリの甘酢漬け。あまりの美味しさに自分の家のご飯（＝まま）がなくなり、隣に借りに行ったという言い伝えによる。

▶きびだんご

　桃太郎伝説と結びつけた代表的な菓子。もともとはキビの粉を蒸してつくった団子だった。

▶黄ニラ

　日光を当てずに栽培するため、やわらかい食感と甘さと香りに特徴があるといわれる。

広島県

▶もみじまんじゅう

　小麦粉・卵・砂糖・ハチミツを原料とするカステラ状の生地であんを包んだ焼きまんじゅうの一種。

▶広島カキ

　全国生産の半分近くを占めるのが広島産のカキ。

▶広島ミカン

　瀬戸内海の沿岸島しょ部で栽培される糖度の高いミカン。

▶広島ハッサク

　甘みと酸味そして適度な苦味もあるさっぱりした味の柑橘。

▶広島レモン

　尾道市瀬戸田町、呉市豊浜町などの島しょ部で生産され、100年以上の栽培の歴史をもつ。

▶カキの土手鍋

　鍋の周りに味噌を塗り、カキと豆腐や野菜を煮ながら食べる鍋料理。

▶ワニ料理

　古来サメ（フカ）をワニと呼ぶ広島地域の郷土料理。

▶煮ごめ

　ダイコン、ニンジン、ゴボウなどの野菜や、油抜きした厚揚げなどを1センチほどに細かく刻み、

小豆とともに煮込んだ料理。小豆を使用するのが特徴となっている。

▶がせつ

アナゴとホウレンソウ、レンコンでつくる郷土料理。砂糖と醤油につけて焼いたアナゴを三杯酢に浸し、軽く茹でたレンコンやホウレンソウを混ぜてつくる。

▶水軍鍋

旧因島市(現在の尾道市)や愛媛県今治市周辺でつくられる鍋料理。

山口県

▶下関うに、北浦うに

山口県下関市および北浦地区(萩市から下関市北部)を加工地とするウニ。

▶下関ふく

山口県では、フグを「ふく」と呼ぶ場合が多い。下関は日本で水揚げされる天然のトラフグやクサフグなどの一大集積地である。

▶岩国寿司

岩国寿司とは岩国市周辺でつくられる押し寿司の一種。

▶アンコウ

茨城県と並んで下関での漁獲量は多い。キモが肥大化する11月から2月が一番美味しい時期といわれている。

▶夏ミカン

ミカン科ミカン属の柑橘類のひとつで萩の特産。

▶長門ゆずきち

萩市原産でユズやカボスの同類。ユズとスダチをブレンドしたような味わい。

▶厚保くり

有数のクリ産地である美祢市西厚保で栽培される「厚保くり」ブランドのクリ。

▶はなっこりー

ブロッコリーと中国野菜サイシンを掛け合わせてつくられた山口県のオリジナル品種。

▶ちしゃなます

生のチシャ(レタスの原種)を手で適当にちぎり、酢味噌で和えた簡単な家庭料理。

▶焼きぬき蒲鉾

萩に古くから伝わる加工食品。当地で獲れるエソや小ダイを原料として、焼きぬき蒲鉾の名称どおり、蒸すのではなく、遠火で焼くところに特徴がある。

四国地方

徳島県

▶なると金時

徳島県鳴門市、鳴門海峡、旧吉野川、吉野川などの砂地でつくられるサツマイモ。

▶鳴門わかめ

鳴門海峡で育ったワカメは、渦潮を生むほどの激しい潮流により、コシがあり、歯ごたえがある。

▶鳴門らっきょ

徳島県鳴門市大毛島（おおげじま）で産出されるらっきょうで、らっきょう本来のカリッとした歯ざわりが特徴。

▶スダチ

ミカン科のスダチは徳島県を代表する特産のひとつで、県花にも指定されている。

▶でこまわし

徳島県特産のイモを用いる郷土料理。竹串に刺したイモや豆腐を囲炉裏に差して、くるくる回しながら焼くので「でこまわし」（方言で人形のこと）といわれている。熱いイモをフウフウ吹きながら串を回す様子が、阿波伝統芸能の木偶（で）の頭（く）を回しているように見えるということからついた名前。

▶あぶりちくわ

すり身を竹に巻きつけてあぶり焼いたもの。

▶ぞめき料理

踊りを囃（はや）す三味線の音「ぞめき」からきた郷土料理。徳島名産の竹ちくわ・スダチ・ワカメ・タケノコ・レンコン・なると金時・アユ

の7品目を中心に、地元の山海の幸を大皿で踊っているかのように、賑やかに盛ったもの。

▶そば米雑炊

ソバの実から殻を除き、そのまま食べる徳島の郷土料理。雑炊のようなもの。

香 川 県

▶讃岐うどん

香川県内のうどん店や家庭などでつくられるうどんは一般に、どれも讃岐うどんとされる。香川県内において、うどんは特に好まれており、県民の生活の中で特異な位置を占めている。1人当たりの年間うどん消費量は日本で第1位となっている。讃岐・香川に限らず、小麦粉の切り麺としてうどんは日本各地で発達したが、全国的にも讃岐うどんはブランドとして広く認知されている。

▶マンバのけんちゃん

香川県の郷土料理。高菜の仲間であるマンバ（場所によりヒャッカともいう）を煮こぼして、およそ1日水にさらして十分アクを抜いたものに、豆腐・油揚げ・天ぷら（練り物）・いりこなどを入れて煮浸しにしたもので醤油味。

▶いりこ

干しナマコの内臓を除いたあとに海水あるいは薄い塩水で煮て乾燥させたもの。中華料理の材料となる。

▶あん餅雑煮

正月のお雑煮にあん餅を使うのは、全国的にも珍しく、讃岐ならではの味。ダイコンやサトイモなどの根菜を入れてつくる、なんとも風変わりなお雑煮。あん餅の甘さと白味噌のコクが交じり合って絶妙な味といわれる。

愛媛県

▶ふくめん

宇和島市周辺における郷土料理。千切りにして味付けしたコンニャクの上に、そぼろや細かく刻んだミカンの皮、ネギのみじん切りなどを盛りつけたもの。

▶宇和島じゃこてん

地魚などのすり身を、形を整え油で揚げた魚肉練り製品。「じゃこてんぷら」、「皮てんぷら」、あるいは「てんぷら」と呼ばれることもある。日本の各漁港付近にそれぞれの郷土の「じゃこてん」がある。じゃこてんは、宇和島藩の初代藩主・伊達秀宗が故郷仙台をしのんで職人を連れてきて、生産させたのが始まりとされる。

かまぼこをつくった時に出た魚の皮やクズを、他の魚と一緒にミンチにして練って、5ミリくらいの長方形に固めて揚げたものを、皮てんぷらという。板にのっているかまぼこではなく、麦わらでくるんだすのこ巻きのかまぼこで宇和島で食される。今はビニール巻きになっている。

▶五色（ごしき）そうめん

松山市に伝わる郷土料理のひとつ。紅花などにより赤、黄、緑、濃茶に着色したものにもとの白を加えた5色。江戸時代初期に、長門屋市兵衛の考案によるものとされている。徳川家や朝廷にも献上された。

▶タルト

薄く焼いた、もしくは焼いてスライスしたカステラ生地にあんを巻いてつくるロールケーキ状の菓子。愛媛県松山市の郷土菓子となっており、茶菓子として供される他、土産品、贈答品としても用いられる。タルトといえば、「皿状にした生地にフルーツなどを盛りつける焼き菓子」のほうが一般的だが、愛媛県ではおもにこの郷土菓子を指す。タルトは松山藩主・松平定行によって長崎から伝えられたとされる。

▶坊っちゃん団子

　愛媛県松山市の銘菓のひとつ。夏目漱石の小説『坊つちやん』の中に、「大変うまいという評判だから、温泉に行った帰りがけに一寸食ってみた」と登場する。

▶しょうゆもち

　松山地方を代表する郷土菓子。旧暦3月の節句に藩主がつくらせて家臣に分け与え、子孫繁栄を祈ったのが始まりとのこと。ひな祭りが近づくと各家庭でつくられ、ひな壇に供えていたという。米粉・餅米・醤油・砂糖を原料とした口当たりの良いお餅。基本は5種類。醤油・抹茶・ユズ・ウメ・生姜。

▶いぎす豆腐

　いぎす豆腐とは、イギスという海草を大豆粉で固めた豆腐。愛媛県今治市を中心とした瀬戸内海地方に伝わる郷土料理。

▶西宇和ミカン

　愛媛県は全国の生産地の中で1位、2位を争うミカン産地だが、中でも西宇和のミカンは濃厚でまろやかな味といわれる。

高 知 県

▶カツオのたたき

　高知といえばカツオ。この郷土料理はその代表格。表面をあぶった香ばしい香りがカツオのたたきの魅力。

▶**皿鉢料理**

高知県の郷土料理。大振りの皿に刺身から菓子までを盛り合わせた宴席料理を指して「皿鉢料理」という場合もある。現代の皿鉢の源流である器は室町時代からつくられていたという。

▶**酒盗**

酒盗は、カツオの内臓を原料として漬け込んだ塩辛。

▶**ドロメ**

古くからご飯のともとして愛された土佐の方言でイワシの稚魚のこと。黒色色素が体表に定着する以前の体長3センチ前後の小さな魚体は白色がかった半透明で、鮮度が良いものほど体色が透き通っている。このドロメを塩水で釜揚げしてから干したものが、釜揚げちりめん。また、「どろめ祭り」も行われている。どろめ祭りは高知県香美郡赤岡町、太平洋を眼前

にはるかに望む砂浜を会場に開かれる。

▶**青さのりと青のり**

四万十川河口付近で採れる、青さのりと青のりの2種類。青さのりは、鮮やかな緑色をしており、薄くやわらかで香りが良く、おもに海苔の佃煮の原料。天然の青のりは、香ばしい風味と鮮やかな緑で美味しさで有名。

（ 九州地方 ）

福 岡 県

▶秋月の本葛

締まりのある寒気によりクズづくりに恵まれた秋月周辺の山野に自生するクズの根は「寒根」と呼ばれ、これに含まれる良質のでん粉はクズの最適の原料であり、江戸時代に秋月藩の藩財政立て直しに役立ち有名となった。

▶がめ煮

九州北部地方（おもに福岡県旧筑前国。福岡県全域や佐賀県を含むこともある）の代表的な郷土料理。いわゆるごった煮のことで、博多の方言「がめくり込む」（「寄せ集める」などの意）が名前の由来とされる。また、豊臣秀吉が朝鮮出兵の際、兵士たちがガメ（スッポン）をブツ切りにして野菜と一緒に煮込んだからという説もある。

▶鶏の水炊き

博多風鶏の水炊きの決め手は、スープ。そこにブツ切りにした鶏肉を入れ煮立てる。本格的なものになると、鶏を少なくとも30羽一度に煮込まなければ良いスープが出ないともいう。

▶シロウオの踊り食い

ハゼ科の小魚であるシロウオを生きたまま酢醤油などで食べること。春の風物詩として名物料理とする地域もあるが、日本各地の小さな河川の多い地方で見られる。

▶あまおう

福岡産のイチゴ。長年親しまれた「とよのか」に代わるものとして開発された。

▶あぶってかも

福岡県福岡市の郷土料理である。一般的に、真水で洗ったスズメダイの内臓をとり出し、多めに塩を振り、軽く干す。それを、うろこを落とさずに真っ黒になるまで焼く。食べる際にはうろこを皮ごとむいて食す。

▶玄界灘のフグ

玄界灘のフグは同じくフグ料理で有名な下関と比べて味は勝るとも劣らず。福岡県でも下関同様

「福」にちなんで「ふく」と呼ぶ。

▶博多ラーメン

　おもに福岡県福岡市でつくられる、豚骨スープとストレートの細麺をベースにしたラーメン。乳白色の豚骨スープが特徴。

▶久留米ラーメン

　福岡県久留米市を中心につくられる、豚骨スープとストレートの細麺をベースにしたラーメンである。

▶ウナギのせいろ蒸し

　柳川といえば川下りの風景とウナギ。柳川のウナギは「ホシアオ」のような斑点があるのが特徴で、「天然ウナギの王座」ともいわれる。全国各地からの取り寄せも相次いでいる。もともとは漁師のスタミナ源。そんな柳川の名物が、ウナギのせいろ蒸しである。

▶八女茶（やめちゃ）

　室町時代に明から持ち帰られた茶の種と製法を伝授したのが八女茶の始まりとされている。香り豊かな玉露で有名。

佐賀県

▶ムツゴロウの蒲焼き

　有明海（ありあけかい）の干潟を誇るムツゴロウはハゼ科の魚。ムツゴロウやトビハゼなど、潮が引いた干潟に生息しているのが見られる。板をスイスイすべらせ、かけ針でひっかけて獲るムツゴロウは、タレをつけ焼いて食すのも良い。

▶ガンヅケ

　有明海付近ではシオマネキをガンヅケ（カニ漬け）と呼ばれる塩辛にして食べる。有明海で獲れる珍味。「カニ漬け」がなまって「ガンヅケ」になったといわれている。シオマネキを生きたまま杵でつい

て細かくつぶして3週間目くらいから食べることができる。

▶ワラスボ

有明海の干潟にいるハゼ科の赤紫のウナギのような魚で鋭い歯をもち、目が退化している。ヘビのように長く、大きいものだと30センチにもなるといわれている。干物などで食べる。

▶呼子のヤリイカ

イカは全国で獲れるが、呼子は玄界灘（げんかいなだ）に面し、イカの活きづくりを中心にイカ料理で有名。使用されるヤリイカは、一般的にケンサキイカといわれる種類を指し、一般的なヤリイカとは異なる。

▶小城羊羹（おぎようかん）

豊臣秀吉に献上したのが始まりとされ、良質の小豆・寒天・砂糖などを原料とした佐賀の代表的銘菓。

▶神埼そうめん（かんざき）

島原と並ぶ九州二大そうめん。今から370年ほど前、病に倒れた雲水が神埼宿の住民が厚く看病してくれたお礼に、そうめんの製法を伝えたことに始まるといわれる。コシの強さ、喉ごしの良さが特徴。

長 崎 県

▶長崎カステラ

室町時代頃にポルトガルから伝わったといわれる長崎を代表するお菓子。

▶卓袱料理（しっぽくりょうり）

中国料理や西欧料理が日本化した宴会料理の一種。長崎市を発祥の地とし、大皿に盛られたコース料理を、円卓を囲んで味わう形式をもつ。和食、中華、洋食（おもに出島に商館を構えたオランダ）の要素が互いに交じり合っていることから、和華蘭料理（わからん）とも評される。「卓」はテーブル、「袱」はテーブルクロスのことで、中国語が語源だという。

▶長崎ちゃんぽん

豚肉・魚介類・野菜を具とした郷土料理。長崎ちゃんぽんに影響されたと思われる麺料理が日本全国に存在する。特に九州各地のちゃんぽんはスープや具材など長崎ちゃんぽんの特徴を強く引き継いでいる。明治時代中期に広まったとされる。

▶皿うどん

長崎県の代表的な料理のひとつ。ちゃんぽんのスープを少なくしたものがベースであったとされ、その後麺が堅焼きそばになり具にとろみをつけてあんをかける

ようになったという。

▶大村寿司

シイタケ、かんぴょう、タケノコ、フキなどを醤油で煮て、タイ、ヒラメ、サヨリ、キスなどの白身魚を酢で締めたものを四角い木枠に交互に重ねて入れ、最後に錦糸卵を散らす。戦国時代に大村の領主が戦勝祝いに振る舞ったところからこの名がついたとされる。

▶具雑煮

島原地方の代表的な郷土料理。海の素材をふんだんに使った、名前のとおりの雑煮。そのルーツは島原の乱で天草四郎がろう城した際、辺りから集めた野草で雑煮をつくってしのいでいたことだといわれる。

▶がんば

島原地方ではフグのことを「がんば」という。「がん桶ば（棺桶を）用意してでも食べたい」のでこう呼ばれるようになったといわれている。島原の沖でフグが獲れるのは春。

▶五島手延うどん

日本の三大うどんのひとつといわれる、長崎県の五島列島でつくられるうどん。7世紀に伝わったとされる。五島列島は長崎県に属し、九州の最西端に位置し、東シナ海の東部に浮かぶ島々。

▶からすみ

ボラの卵巣を塩漬けし、乾燥させた珍味で「唐墨」に形が似ていることで名前がついたといわれる。江戸時代には徳川将軍家に献上された。

熊 本 県

▶いきなり団子

熊本県の郷土菓子。輪切りにした生のサツマイモを小麦粉を練って平たく伸ばした生地（団子）で覆い隠すように包んでいき、蒸し器などで蒸かしてそのまま食べ

る。いきなり団子とは「簡単につくれる団子」の意ともされる。いきなりだごともいう。

▶馬刺し

熊本県の名物料理。馬肉は馬刺しだけでなく、カツやステーキ、ホルモン焼きなどレパートリーもさまざま。特に「コウネ」と呼ばれるたてがみの下の軟骨のような肉は、上トロのごとく、とろりとしたコクがあり、やわらかくて美味。

▶豆腐の味噌漬け

豆腐を水切りしたあと、布に包んで味噌（またはもろみ味噌）に1週間〜半年ほど漬け込んだもので、漬け込む味噌によって味が変わり、酒やチーズのような風味をもつ。

▶辛子レンコン

熊本名物の郷土食。レンコンの穴が細川家の家紋「九曜」に似ていることから藩の栄養食となり、明治維新頃までは門外不出の食といわれていた。レンコンの穴に辛子味噌を詰め揚げたもの。

▶阿蘇高菜漬

シャキシャキとした歯ごたえとピリッとした辛味が特徴。他の高菜が葉っぱも含めて全部、漬物に使うのに対して、阿蘇高菜は3月中旬〜下旬にかけてのわずかな期間に「とう立ち」（花芽がつくられたあとに花茎が伸びること）した、細い茎の部分を中心に使う。

大分県

▶関あじ

大分県の佐賀関沖（豊後水道、速吸の瀬戸）で、大分県漁業協同組合佐賀関支店の組合員（漁師）が一本釣りしたマアジのこと。

▶関さば

潮流が早く、えさの豊富な豊後水道で一本釣りされたマサバ。

▶豊後別府湾ちりめん

カタクチイワシの赤ちゃんであるシラスをちりめんという。体長がほんの2センチほどのこの小さな魚にはカルシウムがたっぷり含まれている。シラスを乾燥したものや釜揚げにしたものが一般的。産地では獲れたての「生ちりめん」を味わえる。

▶豊後牛(ぶんごぎゅう)

大分県内で生産された「黒毛和種」。豊後牛の歴史は古く、1921年（大正10年）、東京で開催された全国品評会で大分県産の「千代山(ちよやま)」という種雄牛が最優秀賞に輝いたことに始まるという。

▶城下かれい(しろした)

別府湾城下海岸の真水の湧く海底で育ったマコガレイの通称。一般のマコガレイに比べ、肉厚で泥臭さがない。江戸時代の将軍家に献上されたという。

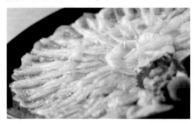

▶だんご汁

小麦粉をこねてつくった親指大の平らな団子を、ゴボウ、ニンジン、シメジ、豚肉などと一緒に味噌や醤油仕立ての汁で煮た郷土料理。

▶なばこっこ

「なば」がシイタケ、「こっこ」が鶏肉を意味し、シイタケと地鶏を甘辛く煮て、炊き込みご飯の丼にかけた郷土料理。

▶鶏めしおにぎり

味の染み込んだ鶏肉とゴボウを炊き込んだ、江戸時代から伝わる郷土料理「鶏飯(けいはん)」をおにぎりにしたもの。

▶臼杵煎餅

　小麦粉・砂糖・鶏卵を生地とし
たせんべいに、臼杵特産の生姜と
砂糖を混ぜ合わせた蜜を塗り、焼
き上げた焼き菓子。江戸時代の臼
杵藩で参勤交代用につくった保存
食が起源といわれる。

▶大分しいたけ

　干ししいたけの生産第1位
（2007年度統計）で大分の代表的
特産物。

▶柚子胡椒

　唐辛子と柚子の果皮を細かく刻
み塩をすりあわせ熟成させた調味
料。この場合の胡椒とは唐辛子の
こと。

▶カボス

　全国の生産量の大半を占める。
さわやかな香りとまろやかな酸味
が特徴。

▶やせうま

　おやつとして食べられてきた大
分県の郷土料理。小麦粉の平たい
麺を茹で、きな粉と砂糖をまぶす。

宮崎県

▶冷や汁

　宮崎県の顔ともいえる郷土料
理。魚はイリコやアジを使うのが
一般的。現在では、夏ともなれば
宮崎県人にとっては日常的な食べ
物。

▶トビウオの刺身

　宮崎で有名なトビウオの刺身。
他の魚に比べて日持ちするが、背
中がピカピカしているものが新鮮
といわれている。また、刺身にす
るトビウオは、大きいほど脂が
のっていて美味しいとされる。

▶日向夏

　宮崎県特産の夏ミカン。江戸時
代から栽培されており、全国一の

生産量。

▶日向カボチャ

表面が黒っぽい濃い緑色のでこぼこの凹凸があるカボチャ。明治時代わずかばかりのカボチャの種を生産してきたのがルーツといわれている。

▶マンゴー

近年、知名度が飛躍的に高まった宮崎のマンゴーは、完熟させるために樹上で熟し、自然に落ちたものだけを収穫するという。全国生産量では沖縄に次ぐ。

▶霧島おろし

割り干し大根のこと。煮物、サラダなど広範囲に使用される。ダイコンと太陽の香りのシャキシャキとした歯ごたえあり。霧島盆地で冬場に吹く「霧島おろし」という冷たい風が吹く冬晴れの日に、1日でつくるのが理想的といわれ

ている。

▶チキン南蛮

今や全国で洋風メニューとして知られるが、もともとは宮崎県が発祥の地といわれている。鶏の胸肉に衣をつけて揚げてからたれに10分ほど漬け込む。キュウリ、タマネギ、ゆで卵、ピクルスとタルタルソースをたっぷりとかけてできあがり。

鹿児島県

▶豚骨料理

鹿児島県の郷土料理。豚の三枚身やアバラの骨付き肉を大きめにブツ切りにし、コンニャクや桜島大根と一緒に鍋へ入れたあと、味付けに黒砂糖や鹿児島の味噌、焼酎を加え煮込み、やわらかくなったら完成となる。

▶つけあげ

「さつまあげ」を地元鹿児島では

「つけあげ」という。「つけあげ」は、魚のすり身をさつまあげにしたもの。鹿児島では「つっきゃげ」とも呼ばれ、アジ、サバ、ハモなどの皮を除き、身をすり鉢ですり、豆腐などをつなぎにし味付けしたもの。

▶さつま汁

日本の各地に古くから伝わる郷土料理だが、おもには薩摩（鹿児島地方）の郷土料理。参勤交代の時に来た薩摩（鹿児島）の下級武士が自炊したものがその始まりといわれる。

▶鶏飯（けいはん）

ご飯の上にほぐした鶏の身、干しシイタケ、錦糸卵などをのせ鶏ガラからとっただし汁をたっぷりかけて食べる。奄美大島から鹿児島の郷土料理となった。

▶サバすき

その名のとおりサバの鍋。サバの頭や中骨を入れてだしをとり、白菜やネギなどの野菜を入れて鍋をつくる。鹿児島では屋久島の「くびおれサバ」（ゴマサバ）を使うのがポイント。くびおれサバは、最初から首が折れているのではな

く、出荷直前に首を折って締めたもの。味噌やみりん、生姜を入れることも。

▶唐漬け

唐漬けのルーツは貿易港に出入りしていた陶製の大きな壺にダイコンを漬けたものだといわれ、当時から「唐漬け」と呼ばれた。また、保存がきくので、漁師にとっては欠かせない食となった。ダイコンを丸のまま干して、海水を入れ壺の中に密封して半年以上漬け込むと独特のにおいが生じ、薄く一杯酢で食す方法がある。

▶カライモのねったぼ

カライモ（サツマイモ）とお餅を混ぜてつくるお菓子。カライモの産地の鹿児島ならではの食べ物。

▶キビナゴ

10センチほどのニシン科に属する魚。鹿児島はその水揚げ地として知られている。

▶かけろまきび酢

奄美加計呂麻島（かけろまじま）の黒糖用サトウキビからつくられる天然発酵の酢。

▶しろくま

鹿児島では練乳をかけ、みつ豆の材料や果物を盛りつけた「かき氷」のことをしろくまという。由来は昭和はじめ頃につけられたという説や戦後この名前で売り出した、などいくつか存在する。

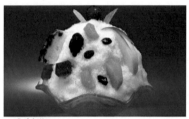

▶知覧紅
ちらんべに

南薩摩産サツマイモのブランド。甘みがありホクホクした味わい。

沖縄県

▶沖縄の塩

「雪塩」「ぬちまーす」という塩はどちらもにがり成分が多く残っていることが特徴であり、世界一多くのミネラル分を含む塩として定評がある（2003年ギネスブック）。「雪塩」は宮古の海水を汲み上げた塩として知られている。「ぬちまーす」は、常温瞬間空中結晶製塩法でつくられる沖縄県宮城島の塩。

▶チャンプルー

これをつくらない家庭はない、といわれる最も代表的な沖縄料理。豆腐とその時々に適当な野菜をいため合わせて、塩と醤油で味をつけるだけ。ゴーヤ（ニガウリ）を使えばゴーヤチャンプルー、マーミナ（モヤシ）を使えばマーミナチャンプルー、豆腐の代わりにソーミン（そうめん）を使うとソーミンチャンプルーといったメニューバリエーションがある。

▶ティビチ

豚足料理で、野菜や結び昆布などと一緒に長時間煮込んだもの。足とはいえやわらかく、淡白な味で、ゼラチン質が口の中に溶け込む。

▶ラフテー

沖縄風、豚の角煮料理。長時間煮込むため、やわらかく、余分な油分が抜けてヘルシーなのが本土の角煮との違い。

▶中身汁
（なかみじる）

　豚の内臓を使った郷土料理。本土では「モツ」。カツオだしを煮立てて（シイタケの戻し汁も一緒に）、豚の内臓・シイタケ・コンニャクを加え、塩・醤油で味付けした汁。

▶ミミガー

　豚の耳や頭の皮の、軟骨部分を和えた料理。コリコリッとした歯ざわりが特徴。

▶イラブー汁

　イラブーといわれる高級食材のエラブウミヘビを煮込んだ郷土料理。ウミヘビは生け捕りにし、焼き、さらに燻製にしてから用いる。

▶フーチバー

　沖縄のヨモギ、フーチバー。薬用野菜と考えられ、料理にもよく用いられる。スープにご飯を入れた「フーチバージューシー」は、ほどよい味わい、フーチバーは沖縄の料理のひとつである「ヤギ汁」に使われたりもしている。

▶沖縄そば

　沖縄の代表的な麺料理。中華麺と同じ小麦粉とカンスイでできており、鰹節・豚骨でスープのだしをとっている。具は豚バラ肉の角煮（ラフテー）とかまぼこ・ネギが主流。ラフテーの代わりに豚のスペアリブ（ソーキ）を使ったものを「ソーキそば」という。ソーキそばは沖縄料理の定番。

▶豆腐よう

「豆腐の島」ともいわれる沖縄県では、豆腐消費量が全国一（平成18年・総務省家計調査）。本土ではあまりお目にかかれないのが豆腐よう。島豆腐を米麹、紅麹、泡盛によって発酵・熟成させた発酵食品。

▶沖縄黒糖

　沖縄の代表的産物、黒糖。沖縄の亜熱帯の気候を利用して江戸時代に中国から製造技術を学び、サトウキビの栽培が全土で盛んになった。

第3章

各県・各地域の
特徴を知る！

日本の観光特産めぐり

日本の観光特産めぐり

日本の観光特産めぐりを始める前に

　日本の観光特産、それは以前からあったものと、新たに登場し、ある程度の知名度を獲得したものがあります。それらが売上面で成功を収めたり、知名度を高めるまでの取り組みは、さまざまなかたちでまとめられています。また、都道府県の行政支援機関や観光協会などの刊行物でも紹介されています。

　あるいは、各地域の特産は大都市地域でのアンテナショップの活動や、地域産品を活かした地域活性化ガイドブックなどでも見かけることでしょう。

　観光特産研究会でこうしたパンフレット資料、Web上などに挙げられている事例を収集したものだけでも、1,000件余はありました。しかし、(一社)日本観光文化協会が各地の特産などの市場評価を行ったケースでは、事業的に見て、軌道に乗っているとは思われないものが大半です。

　また、一時的に成功を収めても、数年すると競合企業が現れたり、消費者に飽きられて衰退・消滅してしまったものもあります。つまり一般的に見れば、特産の開発を継続的に成功させることは極めて難しいのです。

　この「日本の観光特産めぐり」のコーナーでは、そのような状況をふまえつつ、各地域の観光特産資源や自然環境の特徴、さまざまな行事・祭り、新たな試みなどを紹介したいと思います。全国の観光資源について楽しく知っていただくと同時に、全国観光特産検定にも関連しますので理解を深めてください。

特産と名産

　特産とは、ある特定の国や地域で産出されたもの、名産は、その地域の産品であることが全国的にもよく知られているもののことです。また、名産は俗に名物ともいわれる時がありますが、名物という時は、その地域の行事なども含まれます。

　代表的な特産の例としては、農林水産物を加工したもの（加工食品や工芸品など）、菓子や惣菜などの食品（郷土料理を含む）、衣服や玩具、装飾品などとなり、その種類は多岐にわたります。

　特産が発展する背景には、その地域の気候・風土や、歴史的な経緯、近隣地域との地理条件など、さまざまな要因が関係してきます。

　それぞれの国や地域では、観光や雇用、収入源などを創出する産業として、特産の新規開発や生産力拡大を奨励しており、観光地との相乗効果で新たな産業へと発展を遂げています。このような観光に役立つ生産物に関しては観光資源としても位置づけられています。

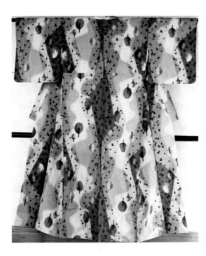

海の恵みと大地が育んだ農産物

　　北海道は広さで日本全国の2割以上を占めているため、東西南北の地域で見ると気象気候も異なる環境にあります。そして豊かな農作物や海産物に恵まれています。

　ジャガイモの生産は全国の8割近く、ニンジンは3割近く、タマネギは6割近く、また、蕎麦も5割近くを生産しています。さらにもっと身近な海産物では、サケ、タラ、サンマ、エビ、イカ、カニが漁獲高全国第1位です（2008年農林水産統計）。

　地域で見ると、根室・釧路圏は、特に自然が豊かに残っていて、酪農や漁業が盛んです。人口密度が低く、別海や浜中地区での乳牛は人口よりも多いといわれます。また海岸地域では、太平洋の暖流とオホーツク海からの寒流がぶつかり合うため、日本有数の漁場となっています。そのため根室は、江戸時代に北前船で北海道の昆布などを関西や九州・沖縄に運んだ高田屋嘉兵衛が漁場を開いたことでも有名です。

　根室の北に位置する網走を中心としたオホーツク圏は、オホーツ海沿岸の漁場が主力で、ホタテの養殖事業が盛んに行われています。

十勝圏は、北海道の酪農と畜産、畑作の中心地です。畑作では特に豆類、テンサイ、ジャガイモ、小麦の栽培が盛んで、いずれも大規模に展開され、大型の機械導入によりその収穫量は日本国内でも有数の出荷量を誇ります。

中央に北海道の屋根といわれる大雪山系を有する道央圏は、寒さも厳しく作物栽培にはなかなか適さなかったところですが、近年の農業技術と品種改良によって上川、富良野地区を中心に美味しい米や、寒暖の差と標高差による甘みの強い作物の集荷がされています。さらに、北部の稚内、離島の利尻島、礼文島では昆布、ウニ、アワビ、カニなどの海産物が多く水揚げされ、特産となっています。

最後に、道南といわれるのは松前、函館を中心とした地域です。この地域は北海道の中では温暖で、比較的早くから開けたところなので、海産、海運事業が発達し、特産も多くあります。さらに函館は幕末から明治にかけての歴史的な舞台となったので、関係する建物が残り観光資源となっています。

また、例年8月に実施されている函館港まつりでは、函館駅前の目抜き通りのパレードで、衣装も奇抜な函館いか踊りが催され多くの地元および観光客で賑わいます。

このように北海道は豊富な水産物や広大な自然での農産物、畜産物に恵まれ、過ごしやすい夏に訪れる観光客に豊かな自然・観光資源を提供しています。

水揚げ日本一の「根室のさんま」とさんま祭り

根室は、サンマの漁獲量日本一の街。特に、根室市花咲港のサンマの水揚げ量は漁港として日本一です（漁港別2008年）。北海道だけで全国

の半分程度が水揚げされます。

　サンマ漁獲量日本一の根室市では、「根室さんま祭り」という祭りが開催されます（毎年９月）。会場ではサンマを無料で配り、会場の炉端コーナーですぐ焼いて食べることができます。また、地元の料理人が工夫を凝らした創作料理の販売もされ、根室の秋の味覚を存分に楽しめる祭りです。

　夜はサンマ漁船の灯で会場全体が灯され、華やかな雰囲気に包まれます。ステージのアトラクションでは、郷土芸能なども披露されます。このさんま祭りでは、サンマの料理が紹介されます。サンマ蒲焼丼、サンマチラシ丼、サンマ節ラーメンといったおもしろ商品も紹介されました。このお祭りは２日間にわたり行われ、地方発送もできるサンマの箱売りの販売は好評を博しています。

一本立ち歯舞さんま

　魚でブランド名といえば関さばが有名ですが、サンマで注目されているものは、歯舞漁協の「一本立ち歯舞さんま」です。

　もともと「舞さんま」として2002年にデビューして以来、ブランドサンマの先駆けとなりましたが、商標法改正で地名と商品名を組み合わせた商標登録が容易になったため新たに名付けられたブランド名です。

　その名のとおり根室沖で獲れたサンマは、徹底した鮮度管理により漁獲から市場での水揚げに至るまで、氷温状態に置かれ、鮮度と品質は消費者の手元まで保たれます。頭を上にして握ってもピンと立つ「一本立ち」といわれるほどのイキの良さが特徴です。

函館のイカと昆布

　函館のイカは全国的に知られていますが、地元でも函館市の市の魚にも制定するほど力が入っています。

　春から夏にかけて訪れると、６月１日に解禁になった真イカ漁で

全国から集まった船が津軽海峡で夜を徹して漁火を輝かせてイカを追い求める様子が函館のあちこちで見られます。初夏から晩秋にかけて「函館の夜景」をひと際演出する漁火は、夏の風物詩だといえるでしょう。そして明け方に水揚げされたイカはすぐに競りにかけられて市場に並びます。

イカはなんといっても鮮度が命、市場のセリでは発泡スチロール箱の「鮮イカ」「いけすイカ」「活イカ」、おもに加工用に使われる「木箱」の4種類に分けられます。中でも活イカは生きたまま寿司店や料理屋に引き取られて調理されます。千切り状の刺身にされた身は、透明感のある飴色をしていてゴロ（キモのこと）も生で食べられるほどです。

そんな新鮮なイカ刺しを食べる時は、辛味の大根おろしか生姜醤油がおすすめです。醤油も美味しいですが、ワサビの殺菌作用の必要がないほど新鮮なイカが地元で味わえます。

イカとともに知られている昆布は歴史が古く、鎌倉時代にアイヌ人が獲った昆布が京都丹波を経て宮廷や武士の慶事に使われていたという記述が残っています。その後江戸時代に北前船を中心とした海運流通によりニシン、昆布、サケなどが北陸、関西、沖縄まで行き渡り、日本の生活文化に影響を与えました。

また、北海道は昆布の生産量が多いにもかかわらず、消費量は少ない地域ですが、これは昆布を食べる文化があるかないかによるようです。たとえば、佃煮や塩昆布にして食べる関西やとろろ昆布にして食べる北陸、煮昆布にして食べる沖縄が代表的な消費地といえるでしょう。

一般的な昆布は真昆布とがごめ昆布の2種類ですが、真昆布は葉が広く深いダシがとれます。さらに昆布などの表面を覆っているぬるぬるに含まれているフコイダンは健康食品の材料になるということで、がごめ昆布は特にその含有量が多いことが評判となり、近年注目されています。

この函館の町は、明治政府により開拓使が札幌に置かれるまで、北海道の政治、経済、文化の中心として栄えました。その面影があちこちに

残っています。海産物を堪能したあとは、独特の雰囲気を保つ函館の町を楽しむとよいでしょう。

函館は明治政府による近代日本の確立を決定づけた歴史的事件が起こり、その証人的な役割を果たした町そのものが今も残っていることに魅力があります。1854年に「日米和親条約」が締結され、翌年には函館が下田に続いて開港され、それとともにペリー艦隊

が函館に来ました。そのペリー艦隊の水兵2人が葬られている外人墓地があり、旧イギリス領事館、旧ロシア領事館、ハリストス正教会や中華会館があります。

中でも有名な建物が「五稜郭」で、国の特別史跡に指定されています。明治維新の戊辰戦争最後の地が函館であり、榎本武揚率いる幕府軍がこの五稜郭で新政府軍と壮絶な戦いを繰り広げたのは有名な歴史です。

また、函館といえば、夜景の美しさでも有名です。香港やナポリなど世界を見ても、街の全景がこれほど美しいところはない、といわれるほどです。

函館から少し離れた当別にはバターやクッキーで有名なトラピスト修道院があります。函館の名跡は一つひとつは大きなものではありませんが、それぞれが幕末から明治時代を経て現代に至る先人の息吹が感じ取れるものばかりです。

Topic

ニセコ地区の特産と羊蹄山

ニセコ地区で蝦夷富士として親しまれている名山が羊蹄山です。雪の多い北海道でも有数の豪雪地帯といわれるニセコは、今やオーストラリアをはじめとする海外から外国人が訪れるウィンタースポーツのメッカになりました。

一方、夏はラフティングや登山、スカイスポーツなどレジャーメニューも増え、新たな観光ビジネスも生まれてきており、ニセコは今や滞在型の楽しめるレジャーのステージになりつつあります。

また、豊富な湯量を誇る多くの温泉もあり、秘湯や露天風呂を探す楽しみもあります。

寒暖の差が激しい羊蹄山の麓では、ジャガイモ（男爵イモやキタアカリ）が有名ですが、意外と知られていない特産がユリ根です。全国の99%、ほぼすべてを北海道が供給しているといわれ、ほとんどが関西方面に出荷されるのは、京料理に欠かせないためです。

東北地方

青森の祭りと郷土料理

青森県は江戸時代の南部藩と津軽藩がひとつの県となった歴史があり、それぞれ気質が異なり、都市の機能についても青森市は行政の中心、弘前市は文化・教育の中心、八戸市は商業の中心と、それぞれ異なる珍しい県です。まずは八戸市から見てみましょう。

八戸の春は、春を呼ぶ祭り「えんぶり」で始まります。ぜひ訪れたいのが、八戸港で水揚げされた魚介類など八戸名物が一堂に会する総合食品センター「八食センター」です。

また八食センターの店内では買った魚介類や肉類が食べられる「七厘村」があります。八戸は郷土料理の宝庫で、汁が染み込んだせんべいの食感が楽しめる「せんべい汁」、蕎麦粉を練り三角に切ったものを湯がいて食べる「そばかっけ」がその代表です。忘れてはならない郷土料理にウニの卵巣とアワビを具に用いた吸い物「いちご煮」があります。もうひとつ「八戸前沖さば」のブランド化を推進しており、定番のサバの味噌煮は骨まで食べられる絶品です。

次に青森市。一番賑わうのが８月の青森ねぶたの時期で、「ラッセラー」の掛け声は見る者の血を熱くします。祭りの宵に楽しむ食といえば、青森近海で獲れる海の幸。総称を「七子八珍」といいます。

また青森は海に囲まれた寿司自慢の街です。そして市民のソウルフードに「味噌カレー牛乳ラーメン」があり、風味のバランスを楽しめます。

　文化・芸術では縄文前期から中期にかけて約 1,500 年続いた日本最大級の縄文集落跡「三内丸山遺跡」があります。北海道・秋田と共同提案し、世界遺産の国内候補リストへの記載が決定した「縄文遺跡の宝庫」です。

　ご存じの方も多い、版画家棟方志功の記念館は建物が校倉造りを模したもので、前庭は池泉回遊式庭園と作品以外にも見どころがいっぱいです。

　青森では少し早起きして駅前市場や朝市に出掛けてみましょう。古川市場では「のっけ丼」に挑戦してみてはいかがでしょうか。「のっけ丼」は先に丼飯を購入し、のせる具材を自分の好みで選んでつくることができます。

　青森のもうひとつの楽しみに「ローカル線の旅」があります。ひとつは津軽鉄道で冬に走る「ストーブ列車」に乗り、ストーブでスルメを焼いて食べれば昭和 30 年代を満喫できます。

　郷土料理としては根菜や山菜を煮込んだ味噌で味付けした「けの汁」があり、小正月から食べられます。もうひとつタラのジャッパ（あら）を丸ごと使いダイコン、ネギなどと煮込んだ「じゃっぱ汁」があります。

　津軽鉄道の終着駅津軽中里から少し足を延ばすと十三湖があります。ここは日本有数のヤマトシジミの産地で「しじみ汁」を味わえます。ま

たこの沿線の金木町には、2010 年に生誕百周年を迎えた太宰治の生家「斜陽館」があり、約 600 点の資料が展示されています。

　この金木町は津軽三味線の本場で「津軽三味線会館」ではライブを楽しめるばかりでなく、自らも体験できます。8 月に見られる五所川原の立佞武多の山車の高さは 22 メートルあり、その勇壮な姿は圧巻です。

　最後に弘前市には、「弘前ねぷた」があり、「ヤーヤドー」の掛け声とともに夏の夜の「武者絵」が連なります。一方、冬の「弘前城雪燈籠まつり」では雪化粧された弘前城がライトアップされます。また弘前城は桜の名所としても全国的に有名です。

　さらに弘前は文化・教育の街らしく数々の洋館やフランス料理店も各所にあり、リンゴの街としてアップルパイをはじめ、多くのリンゴスイーツが堪能できます。「青森シャモロック」は弘前のお隣、大鰐町の特産地鶏で、その旨さとシコシコ感で人気があります。

東北の夏を彩る祭りと伝統の技と味

秋 田 県

　秋田といって思い出すのは、米のあきたこまち、うどんでは稲庭うどん、観光地では角館、そして祭りでは秋田市の「竿燈まつり」ではないでしょうか。秋田市の竿燈まつりは東北夏の三大祭りのひとつで、市内に桟敷が設けられ、夏の一大風物詩となっています。

　秋田の夏に食べたいのが定番「稲庭うどん」です。冷やして、つけ麺として食せば絶品です。

　また、秋田市の代表的工芸品としては「銀線細工」があります。これは江戸時代から約 200 年の歴史があり、銀線だけがもつ金属のやわらかさと、鈍い輝きを活かした特徴をもつ伝統工芸品です。

　秋田市から少し足を延ばすと男鹿温泉郷があり、男鹿を代表する料理が漁師料理の「石焼桶鍋」で豪快な鯛鍋が楽しめます。ただシーズンが

7月までなので注意が必要です。

　秋田市から日本海沿いを北上すると能代市に到着します。この能代ではお茶の「桧山茶」や、今でも藁納豆が健在の「桧山納豆」が有名です。能代からは国道7号線を東に向かうと約50キロ余で大館市に着きます。ここ大館市はご存じでしょうか。渋谷駅前の秋田犬「ハチ公」の故郷です。

　この地の工芸品として秋田杉の柾目を活かした「大館曲げわっぱ」があり、その売れ筋は小判弁当箱です。

　大館で忘れてならないのは「きりたんぽ鍋」です。シーズンは寒さに向かう新米の時期から始まります。きりたんぽ1本はご飯2杯分のボリュームがあるといわれます。使用する鶏肉はもちろん「比内地鶏」です。鍋にはセリを入れますが、これは根っこのついたものが定番です。この鍋にきりたんぽの代わりにお米の団子状のもの（だまこ）を入れた鍋が「だまこ鍋」です。

　もうひとつ、大館で紹介したいのが花善の「鶏めし弁当」です。この弁当は秋田駅でも購入できます。ぎっしり詰まった弁当が美味です。

　さらに秋田の玄関といわれる場所に、角館があります。角館は武家屋敷で全国区として知られています。春は武家屋敷の「垂れ桜」、桧木内川の桜並木は東北の桜の名所のひとつに数えられています。角館といえば桜の木の皮を使った和風小物「樺細工」が人気で、代表的な製品が茶筒です。

　秋田の夏の一大イベントに「大曲の全国花火大会」があり、8月第4土曜日に開催され、全国三大花火大会に挙げられています。一方、秋田の冬は多くの雪祭りが楽しめます。代表的なのが県南の中心に位置する横手の「かまくら」で、この「かまくら」は水神様を奉る小正月の行事としてよく知られています。

　横手に来たら食したいのが、B-1グランプリに輝いた「横手やきそば」。麺とソースと目玉焼きのコラボが楽しめます。

　他にも県南の代表的小正月行事として、湯沢（秋田にも湯沢という地

名があります）の「犬っこまつり」があります。雪で犬を模った造形を市内につくり奉ります。この湯沢では夏には8月の七夕の時期（東北では七夕は旧暦で開催されます）に美人画を絵灯篭にした「絵灯篭まつり」があり、夏の夜を飾ります。

　秋田県は酒どころとしても知られていますが、その中で湯沢市には「爛漫」「両関」に代表される酒蔵があり、地場の一大産業となっています。この県南部は実は麺どころでもあり、羽後町の「弥助そば」、湯沢市稲川の本場「稲庭うどん」、横手市十文字では「十文字ラーメン」、そして「横手やきそば」と麺ロードが形成されています。

　秋田の郷土料理で忘れてはならない「しょっつる鍋」もあります。しょっつるとはハタハタを塩で漬け込み、身が溶けてなくなるまで醗酵させた魚醤で、このしょっつるをだし汁に加えてハタハタと野菜を入れて味わう鍋です。

　秋田でおすすめのお土産の銘菓は「金萬」。秋田県人では知らない人はいないお土産の定番品です。もともと白餡の都饅頭と呼ばれるものですが、金萬本舗でつくっていたことから焼き印「金萬」の文字が押されています。

歴史と果物と「おくのほそ道」の山形

山形県

　山形県は米沢、山形、新庄、酒田、鶴岡と見どころがいっぱいです。まずは、米沢から案内することにします。米沢は冬が厳しく、「米沢上杉まつり」で春の訪れの喜びを爆発させます。この祭りは上杉謙信を祀る上杉神社の大祭です。川中島の合戦を描く一大歴史絵巻で、開催期間の春の連休は歴史がよみがえります。

　この時期の旬の料理がウコギ（新葉部分）の味噌和え、天ぷら、ウコギご飯で、その風味を活かして食べられています。もちろん米沢を訪れたら銘柄牛「米沢牛」のステーキ、しゃぶしゃぶもお楽しみください。

ところで、ブドウの産地といえば山梨県が思い浮かびますが、実は山形県はブドウ生産量全国第３位で（2008年農林水産統計）、米沢のお隣南陽市が山形ブドウの発祥の地でワイナリーもあり、ワインも楽しめます。

　国道を北上し山形市へ向かう途中、ちょっと寄り道すると丹野こんにゃく番所があり、この店ではお造り、煮物、にしんそばなどと組み合わせた、コンニャクの懐石料理が提供されます。山形のコンニャクで忘れてならないのが松尾芭蕉ゆかりの地、山寺は立石寺の醤油とだしで煮込んだ「玉こんにゃく」。訪れた方はそのにおいに誘われ、思わず食べたくなるほどです。

　続いて山形市は、東北夏の四大祭りのひとつ「山形花笠まつり」で知られ、各町内や企業などさまざまな踊り手が音頭に合わせ花笠を操っては踊り、夏の夜を彩ります。この時期、山形の暑さは格別です。山形発祥の「冷しラーメン」を味わってはいかがでしょうか。

　山形市のお隣が天童市で、ここには特産として将棋の駒があります。春の「天童桜まつり」のイベントとして「人間将棋」が開催されます。また山形県内各地に蕎麦街道があり、ここ天童にも蕎麦街道があります。蕎麦屋に入ったらぜひ「板そば」を注文してみてください。

　尾花沢にも注目してみましょう。この町を代表する温泉に大正ロマンの銀山温泉があり、青い目の女将が有名です。この尾花沢は江戸時代「紅花」で栄えた最上川沿いの商人の街です。また、芭蕉が紅花商人宅に長逗留した街と知られる尾花沢で、『おくのほそ道』ゆかりの場所を歩いてみるのもいいでしょう。

　山形の郷土料理の代表といえるのが「いも煮」です。地域により「いものこ汁」としてニンジン、鶏肉、サトイモ、ダイコンなどを味噌仕立ての鍋で煮込んだ料理もあり、「いも煮」として、牛肉、サトイモ、長ネギ、コンニャクなどを醤油仕立ての鍋で煮込んだものもあります。大鍋で催

される「芋煮会」は山形の秋の一大イベントで県民も楽しみにしています。

　庄内では夏にカキを食べます。この「海のミルク」のシーズンは7～8月です。豚肉で今や全国区となりつつある平田牧場の三元豚はここ庄内が本拠地、ぜひ味わってみてください。果物では庄内のメロンも有名で、山形は福島と並ぶ果物王国です。

サクランボと山形セレクション

　もうひとつ、山形の特産物といえばサクランボ。山形のサクランボ狩りは、例年6月10日頃に観光果樹園がオープンし、6月中旬には「佐藤錦」、7月初旬には「ナポレオン」の最盛期を迎えます。4月中旬より温室サクランボ狩りが楽しめる農園もあります。

　山形のサクランボ栽培面積は約2,500ヘクタール（東京ドーム534個分）と大きなもの。その中で、サクランボ狩りが体験できる観光果樹園は、県内におよそ200ヵ所あるということです。

　特にサクランボの産地として知られるのが、山形市の隣にある東根市。トップブランド「佐藤錦」を中心に、サクランボの生産量日本一を誇ります。ちなみに東根市は西洋ナシの「ラ・フランス」でも生産量日本一となっています。

　また、山形には、その自然や風土、文化などに育まれてきた、全国・世界に誇れるたくさんの素材と、それらを磨く優れた技術・技法が数多くあります。それらの地域商品を県が認定しているのが「山形セレクション」です。山形セレクションは、数多くの県産品・サービスの中から、山形県独自の「山形基準」に基づき厳選されたものを、「山形の宝」として全国に発信しています。

福島県

福島県のモモの生産量は全国の約20%

福島県は、太平洋と阿武隈山地にはさまれた「浜通り」、阿武隈山地と奥羽山脈にはさまれた「中通り」、奥羽山脈と越後山脈にはさまれた「会津」の3地域に分けられています。

福島市の西側に広がる吾妻連峰の麓を走る、約14キロにわたる区間には果物畑が広がり、販売店や果物狩りができる観光果樹園が数多く並んでいます。

この区間を通る道は「フルーツライン」と呼ばれ、観光果実園では、7月下旬～9月上旬までモモ狩りが楽しめます。

福島市、伊達市、国見町など中通り北部を中心に、県内で収穫されるモモの生産量は、全国の約20%です。8月の「あかつき」、9月の「ゆうぞら」は生産量日本一となっています（2008年農林水産統計）。

明治初期の頃から栽培されている福島のモモは、何度も品質改良が行われてきました。中でも「あかつき」は、白桃と白鳳を交配した品種で、味はもちろんのこと、日持ちが良く、福島のモモの代表です。

品種の「あかつき」は福島市の信夫山の大祭にちなんで名付けられました。

福島県の特産と観光

福島県の特産品と観光資源は、浜通り、中通り、会津のそれぞれの地域により異なります。

会津地域は、会津盆地を中心に生産される水稲（会津産のコシヒカリは新潟県魚沼産同様の高評価。2009年現在、特Aクラス）、会津身不知柿、南郷トマトがよく知られています。

また、江戸時代中期には幕府の許可を得て、海外輸出を試みるまでになった「会津塗漆器」など、匠の技を現代に伝える伝統工芸品が多いのが特徴です。

　中通り地域は、北から県北、県中、県南の3地区に分けられます。
　県北地区ではモモをはじめとして、リンゴ、サクランボ、ナシ、イチゴなどの果物類の生産が盛んです。

　県中・県南地区では、特に郡山盆地を中心とした稲作が盛んです。また、岩瀬地区を中心に生産される夏秋キュウリは全国第1位の産地となっています。キュウリの産地須賀川市では、キュウリ焼酎「すかQ」や「カッパ麺」など、キュウリを素材とした特産品開発を行っています。
　浜通りは太平洋に面しているため、水産業が盛んです。浜通り北部の相双（そうそう）地区では、ホッキ貝、アサリ、海苔、サケ、浜通り南部のいわき地区では、カツオ、メヒカリの漁獲量が多くなっています。

　昭和40年代の福島県いわき市の歴史、石炭産業からの地域再生を描く映画『フラガール』が、2006年に全国一斉ロードショーされました。
　舞台となった「いわき湯本温泉」は、江戸時代には年間2万人の湯治客や遊客で賑わいを見せます。明治以降も福島県内有数の温泉観光地として栄え、現在も多くの観光客が訪れています。

Topic

岩手県　歴史と郷土の香り漂う味と祭り

　わんこそば、盛岡冷麺、工芸品として「南部鉄器」が有名。足を延ばして「八幡平」、北上・花巻では、北上展勝地の桜、宮沢賢治、お泊まりは花巻温泉、遠野で有名なのは遠野物語、一関・奥州は中尊寺、前沢牛、三陸海岸は宮古市、浄土ヶ浜、岩泉町、龍泉洞が有名。

　岩手の土産なら、かもめの玉子、南部煎餅。郷土料理なら、鶏肉や野菜をたっぷり入れた汁に小麦粉のこねたものをちぎって入れる料理ひっつみ（すいとん）が知られています。

　祭りといえば、岩手山の山麓にかろやかな音を響かせ、きらびやかな装束をまとった馬コが、愛くるしい稚児を背中にのせて練り歩いてくる「チャグチャグ馬コ」は、みちのくの初夏を彩る風物詩として全国的に有名です。

　また、8月の「盛岡さんさ踊り」は、盛岡市とその周辺地域に踊り継がれてきた伝統さんさとして、各地区によって振り付けや衣装が異なり、パレードは圧巻です。

宮城県　ホヤの酢の物

　宮城県は「海のパイナップル」といわれるホヤが有名です。独特の香気と苦味は一度食べたら忘れられない珍味といわれています。

　晩春から初秋にかけて肉質が厚くなり、においも薄くなることから、この季節のものが食べやすいとされ、特に、初夏が旬で最も美味しくなります。

　食べ方は簡単で、先端にある口を切り取り、中身を出して2つに割り、内臓を取り除いて水洗いすれば準備完了。これを、適当な大きさに切り、二杯酢をかければ酢の物が完成です。

　食用のホヤは養殖されたものがほとんどで、宮城県の2008年の収穫量は全国の84%（農林水産省「海面養殖業収穫統計調査」結果）を占めています。

関東地方

東京都

べったら漬けとべったら市

　べったら漬けは、ダイコンの浅漬けの一種で、ダイコンの皮を厚めにむき、塩で下漬けしたものに、砂糖、みりん、米、米麹で本漬けをします。歯ざわりがぽりぽりして甘い淡白な味が特徴です。麹がべったりついていることからこの名があります。

　漬け込んで10日から15日で食用になりますが、風味の変わるのも早く、貯蔵性はありません。同じ浅漬けの沢庵漬けとの大きな違いは、ダイコンを干さずに漬け込む点であり、水分量は80％を超えます。

　べったら漬けは、本来干したダイコンを塩を加えた糠で漬け込みますが、大正時代後半から、昭和の初期にかけて出荷量が増加したのに合わせて、塩で水分を抜いて漬け込む方法がとられるようになりました。別名、東京沢庵ともいいます。

　べったら漬けを食べる時には、厚めに切ります。沢庵漬けの３倍程度が目安です。ご飯のおかずにもなりますが、箸休めやお茶に添えて食べることが多いようです。寿司屋などでは、箸休めとして２、３切れを出すところも多いようです。

　古川柳に「浅漬けをすなをに切つてしかられる」というのがあります。田舎から出てきた下女が、沢庵漬けのように薄く切って出して主人にしかられるさまを詠んだものです。

　また東京沢庵の別名があるものの、関西などでも食されることがあります。

　べったら市は陰暦10月19日、江戸の大伝馬町から小伝馬町までに立った浅漬けダイコンの市のことです。もとは、日本橋の宝田恵比寿神社の宵宮に恵比寿講用の恵比寿・大黒の神像や器物などを売る市でした。

今は、陽暦10月19日・20日の両日に日本橋本町3丁目に市が立ちます。

日本橋は再開発が進み、今日では、大きく様変わりをして、ショッピングモール、ホテル、マンションなどが立ち並ぶビジネス街でもあり、観光スポットでもあります。そのような渾然とした中を一歩路地を入ると、おしゃれな店のところどころに老舗もある、過去と現在が共存している街です。

今でも、べったら市が立つ時は遠方の方はもちろん、日本橋界隈の方は必ずべったら漬けを買いに行くそうです。

　　　雨のこるべつたら市の薄れ月　　　水原秋櫻子

発酵食品の東の横綱・くさや

くさやは、焼いた時に独特のにおいを放つため、敬遠する方も多くいます。特に西日本の方にその傾向があるようです。

くさやの原料は、クサヤムロ（アオムロアジ）を最上としますが、普通のムロアジ、マアジの他、トビウオやサメなども使われています。原料の鮮度は死後硬直中の極めて良いものが使われます。ムロアジを腹開きにして、えら、内臓を除いたあと、水洗いをし、水をよく切ったのち、長年保存してあるくさや液に8〜20時間浸透させます。それから真水で洗浄して天日乾燥または通風乾燥させ、ようやくできあがりです。

くさやは、普通の塩乾品と比較して塩分濃度が低いわりに腐りにくく保存性が高いものです。

食べる時は、特有のにおいを消さないよう軽くあぶる程度に焼きます。ご飯のおかずや酒の肴に適しています。くさやの特有のにおいを敬遠する人が多くなったため、最近では、においを少なくする工夫や、すぐに食べられるビン詰めのものなども出回っています。最近では各地のデパート、スーパー、魚屋などでも手に入るようになっています。

くさやは長い歴史をもつ食品ですが、当初は単純な塩水に浸した魚を干しただけだったようです。塩水を使い回しながら、干物をつくっていたところ、それに魚の成分などが蓄積し、さらに微生物などが作用して、

現在のくさや液のもとができたといわれています。

　江戸時代には献上品とされていた記録が残っています。くさやの発祥地は不明ですが、新島という説が有力です。また、名称は江戸時代の魚河岸の間で「くさいからクサヤ」という名前がついたという説があるものの詳しいことはわかっていません。

　くさやは、伊豆諸島の他、小笠原諸島でもつくられていますが、ここでは、伊豆諸島について記します。

　伊豆諸島は、伊豆（静岡県）の名前がついていますが、行政区は東京都になります。現在、有人島の数は９あります。大島、利島、新島、式根島、神津島、三宅島、御蔵島、八丈島、青ヶ島です。他は無人島や岩礁です。

　観光がおもな産業の島が多く、海のレジャー全般、観光、保養などさまざまな目的で多くの人々が訪れます。伊豆諸島全体が富士箱根伊豆国立公園に含まれています。

「武蔵の国から秩父路へ」

　かつての武蔵国とは現在の埼玉県・東京都の大部分に神奈川県川崎市と横浜市の大部分を含む地域です。埼玉県秩父地方は武蔵国のはずれにあたりますが、都心の北西部およそ60キロしか離れていないところにあります。

　そのため、春や秋を中心にハイキングや信仰などのために山登りをする人々が多く訪れます。

　これら秩父の山々は、荒川の源流を多く抱えています。これらの山から湧き出る水がいくつもの川として束となり、最後には、関東平野を横切る大河「荒川」となります。

　自然だけでなく、歴史・民族・芸能・

史跡がこの地域に凝縮されていることも秩父の魅力です。

羊山公園にある「芝桜の丘」は、約16,000平方キロに11種類、35万株以上の芝桜が色とりどりに植栽され、開花時期（4月上旬～5月上旬）には多くの観光客で賑

わいます。その他にも、吉田の龍勢（ロケット）、清雲寺のしだれ桜、中津峡の紅葉など、多くの観光資源に恵まれ、特産として蕎麦・地酒などが広く知られています。

辛抱強さと激しさの歴史

昔から平家の落人が多いといわれる秩父は歴史的には、地名にも採用されている秩父氏が平家の流れを汲むといわれ、武蔵の国で最大の勢力を誇ったといわれます。その後源頼朝の有力な御家人となりましたが、鎌倉期から室町期の混乱にかけて滅亡したといわれます。そのことが、平家の落人が住み着いたという伝説のもとになったのかもしれません。

その秩父は、江戸時代には行田の忍藩の管轄地として陣屋に代官が勤めていました。忍藩は埼玉県行田市にあり、忍城は戦国期に石田三成による水攻めをしのいだ城として全国的に有名になりました。

江戸時代には板東札所33ヵ所、西国札所33ヵ所に秩父札所34ヵ所が観音信仰の対象として知られていました。札所は町中や山深くに散在し、現在でも長い時間をかけて秩父を歩くことで、歴史を感じることができます。

また、三峯神社がある三峰山は信仰の対象になってきました。人里離れた山には厳しい自然と結びついた独特な雰囲気がありますが、都心から電車で1時間ちょっとで着く場所にこうした環境が残っているのは珍しいといえるかもしれません。

厳しい自然と向き合ってきた秩父は、江戸時代には養蚕が盛んになりました。蚕を家で飼い、糸として取り出す作業は片手間でできるものではなく、辛抱が要求されました。そのような生活の中で、秋から冬にか

けての祭りは 1 年を締めくくる特別な意味を持っていました。

　秋のロケット祭りで有名な椋神社は 1884 年（明治 17 年）10 月に秩父困民党が決起集会を開いたことでも有名です。

秩父夜祭

　冬を迎えて 12 月はじめに秩父市内で行われる祭りが「秩父夜祭」です。秩父地方の総鎮守である秩父神社の例大祭として京都祇園祭、飛騨高山祭と並んで有名です。

　神様をのせた山車を曳く曳山祭りは各地にありますが、秩父夜祭の特徴はその荒っぽさにもあります。秩父神社を出発した極彩色の彫刻で装飾された 2 台の笠鉾と 4 台の屋台が、狭い坂道を曳き回され、花火が冬の夜空を彩ります。

　300 年余りの歴史をもつ祭りは、江戸時代の寛文年間（1661 〜 72 年）にはすでに祭りが存在していたという記録があります。江戸時代には祭りとともに秩父絹の市が立ち、秩父の経済を大いに潤したともいわれるので、別名「お蚕祭り」とも呼ばれます。

　重要有形民俗文化財に指定された笠鉾を狭くて急な坂を一気に登らせる祭りは、かつて死者が出たともいわれるほど危険なものでした。現在では道路も整備され、勾配も緩やかになったために観光の目玉として楽しめるものとなっています。

秩父銘仙と小昼飯

　江戸時代から養蚕が盛んであったのは、山が深く、畑になる土地が少ない他、土壌が豊かでなく米・野菜づくりには向かず、桑には適していたためです。その繭でつくられる銘仙などを売りさばくために、日本全国を旅していた近江商人が移り住んだともいわれ、近江出身の家もあるようです。

　養蚕業が盛んだったことは、今でも「はたや」（機屋）などという屋号を持つ本家が残っていることや、2 階に蚕を飼う設備をもつ古い家屋が残っていることからも、秩父夜祭が「お蚕祭り」と呼ばれることがわかります。

また「小昼飯」といって、農作業の合間などに食べる郷土料理があります。ジャガイモを一口大に切り、衣をつけて揚げたものに味噌だれをかけた「みそポテト」などが定番です。

Topic

茨城県　北茨城のアンコウ

　北茨城は「あんこうミュージアム」があるように、アンコウの本場として有名です。アンコウ漁は産卵を終えた7・8月が禁漁となっている以外は、年間を通じて行われています。秋口あたりからシーズンとなり、冬の寒い時期がアンコウ鍋の最盛期。初春～初夏にかけては、産卵の時期となり、産卵前のアンコウのキモはよく肥えて、味わうには最良の時期です。

　北茨城の郷土料理である「どぶ汁」は、もとは平潟の漁師が、当時売り物としてはそれほど価値のなかったアンコウを、船上での食料とするためにつくったものといわれています。キモを鍋にあぶりつけて味噌と合わせ、船に積んだ水を節約するために、水分の多いアンコウから出る水と野菜の水分で煮て、冬場の漁で冷えた体を温めたそうです。

　他の地方では塩や醤油味のだし汁で、身の他にキモも固形のまま煮るアンコウ鍋がポピュラーですが、北茨城のアンコウ鍋がキモを溶いた味噌だし汁仕立てという独特な形態であるのは、このどぶ汁があったからだといえるでしょう。

北陸地方

石川県

能登の味を堪能できる春夏秋冬・まいもんまつり

　能登半島にある石川県穴水町は、春夏秋冬四季折々の旬の能登の味覚を集めた「まいもんまつり」がある街です。「まいもん」とは、「美味いもの」という言葉の能登弁です。ここでは、1年を通じてまいもんまつりが行われています。

　祭りは四季それぞれを通じて、春の陣・いさざまつり、夏の陣・さざえまつり、秋の陣・牛まつり、冬の陣・かきまつりの各期間に分けて穴水の食の味を、四季を通じて堪能できるというメニューと食材が提供されています。

　「いさざ」とはシロウオのこと。春の訪れとともに、河口で四ツ手網をしかけ、いさざが通りかかると網をサッと上げる漁です。3月から4月にかけて穴水町の川の河口で見ることができます。

　また、穴水はカキが有名で、冬には「雪中ジャンボかきまつり」が行われています。カキの殻はブドウ栽培の飼料としてブドウ畑で利用され、良質のブドウを育んでいます。このブドウでつくられたのが能登ワインです。

　穴水町では、長谷部まつり、沖波大漁まつり、甲曳き舟まつりが行わ

れています。

　昔ながらの祭礼の心が今も穴水を彩ります。キリコ（山車の一種）を使った勇壮な祭りもあれば、武者行列、灯篭流しなど在りし日を華やかに、そして静かに称える祭りもあります。時は流れていっても、古の時代をしのぶ人々の心は変わりません。

　長谷部まつりは、この町のヒーロー長谷部信連をしのぶ祭。手づくりの「名あげそうけ御輿」が先導し、武者行列が練り歩きます。雅やかな時代絵巻が繰り広げられ、夜は波静かな穴水湾内で 屋型舟や灯篭流しによる光の競演も見ものです。

　沖波大漁まつりは、海の安全と大漁を祈って続けられている祭りで、2日間にわたって行われます。1日目は5本のキリコが鐘や太鼓にはやされて町中を練り歩きながら、恵比寿神社へ向かいます。2日目は海中へキリコをかつぎこみ、勇壮に暴れ回ります。

　甲曳き舟まつりは、御輿が海に入るという全国でも珍しい祭り。朝8時すぎ、加夫刀比古神社からご神体を2台の御輿におさめ海岸まで下り、のぼり旗をなびかせた台船に乗せ海上を巡航して 海の安全と大漁を祈願します。

Topic

新潟県　佐渡島の特産、おけさ柿といごねり

　佐渡島の面積は 855.25 平方キロメートル、海岸線は 280.4 キロで、その大きさは実に東京 23 区、淡路島の 1.5 倍、沖縄の 3 分の 2 と、離島としては日本一を誇っています。その佐渡島の特産品といえばおけさ柿に海産物です。

　八珍柿を改良してつくられた「おけさ柿」は甘くてジューシーな佐渡代表の特産物。とろけるような舌触りが特徴で、種がないので食べやすいです。

　また、日本海の荒波で育つ海草のエゴノリをトコロテンのように煮詰めて固め、蕎麦のように刻んでネギやワサビなどの薬味をつけ、醤油をかけて食べる「えごねり」は、さっぱりとした磯の香りが楽しめる佐渡の代表的な特産です。

福井県　越前がにの三国港と北陸の小京都大野市

　三国港は福井県の北部、九頭竜川河口に位置し、古くは北前船の寄港地として繁栄し有名になりました。北前船の衰退とともに三国港も衰退しましたが、現在では漁港として生まれ変わりました。この港で水揚げされる冬の味覚の王者「越前がに」・「甘エビ」などは全国的にも有名です。越前がにの雌は「せいこがに」と呼ばれ、特に人気があります。大きさは雄ガニの 3 分の 1 ほどですが、小さな殻の中には珍味として名高いカニ味噌がぎっしり。中にはこれだけしか口にしない、という人もいるほどの逸品です。

　もうひとつ、北陸の小京都と呼ばれるのが福井県大野市です。大野市は、奥越前の中心都市として 400 年以上の歴史をもつ城下町で、市街地は戦国時代からの町割りが色濃く残り、碁盤の目のような通りや古い町並みなどから「北陸の小京都」とも呼ばれています。名水百選にも選ばれた「御清水」があり、歴史と情緒あふれる町として、伝統文化、食文化を体感できる町です。

中部・東海地方

静岡県

郷土芸能「農兵節」とみしまコロッケ

「富士の白雪朝日で解けて流れてノーエ…」、静岡県の数ある民謡のうちでも良く知られているのが「農兵節」です。

今からおよそ150年ほど前の 江戸時代末期、伊豆韮山の代官「江川太郎左衛門坦庵」が外国の攻撃から日本を守る必要性を幕府に訴え、韮山で大砲を製作するかたわら、若き農夫を集め、彼らを兵力とするためその訓練に力を注いでいました。

そんな時、海外の技術を学んでいた太郎左衛門の家臣、柏木総蔵が長崎で伝え聞いてきた珍しい音律に冒頭で紹介した歌詞をつけて鼓笛隊を組織したのです。

その後、明治以降には舞がつき、全国に知れ渡る「三島農兵節」となり三島の代表的な民謡として三島夏まつりには欠かせないものとなっています。現在はその大きな役割を三島農兵節普及会が譲り受け継いでいます。

そのような三島市の特産が箱根西麓で採れた三島 馬鈴薯（メークイン）。その三島馬鈴薯を使ってできたのが「みしまコロッケ」です。馬鈴薯は箱根西麓のメークインを100％使用しています。

三嶋大社や源兵衛川など市内を訪れる観光客に三島特産のメークインを食べてほしいということで、三島馬鈴薯を使った「みしまコロッケ」でまちおこしをしようと、市民、商店主、生産者や関係団体、三島市が共同で「みしまコロッケの会」を立ち上げました。

今、三島市はこれまでの三島農兵節、三嶋大社に加え、この「みしま

コロッケ」でも非常に好評を得ています。

長良川・飛騨・関の刃物

岐阜県

岐阜といえば長良川が有名です。長良川の鵜
飼は岐阜の夏の風物詩として受け継がれ、1,300
年以上の歴史があります。夏だけではなく、毎
年5月11日から10月15日までの間、中秋の
名月と増水時を除く毎夜行われています。

鵜飼で獲れたアユを使った郷土料理は塩焼きの他、田楽や寿司、あめ
炊き、干した焼きアユでだしをとった雑煮、そうめんなどがありますが、
解禁時の新鮮なアユが手に入ったら鮎ぞうすいがおすすめです。

また、岐阜といえば、金華山。金華山は市の中央に位置し、標高は
329メートル。かつては、稲葉山と呼ばれていました。

その山頂に位置し、岩山の上にそびえるのが、斎藤道三・織田信長ゆ
かりの居城「岐阜城」です。岐阜城は、難攻不落の城としても知られ「美
濃を制すものは天下を制す」とまでいわれるほどでした。戦国時代には
歴史の表舞台にたびたび登場した城です。

岐阜の食の特産といえば、朴葉味噌や、飛騨牛が知られています。朴
葉味噌は飛騨高山地方の郷土料理。自家製の味噌にネギなどの薬味、シ
イタケなどの山菜・キノコをからめたものを朴の葉にのせて焼きます。
山国の深い味わいがある逸品です。

「飛騨牛」は、岐阜県のおもに飛騨地方で肥育される黒毛和種の和牛で、
一定の規格以上の牛肉に対して許される呼称です。ブランド牛肉として
確定したのは昭和60年代以降です。ステーキ、しゃぶしゃぶ、すき焼

きなど、岐阜市内にはさまざまな料理店があります。

岐阜には、伝統工芸品も多くあります。中でも関市の刃物は有名です。その産業の歴史は700有余年前にさかのぼる鎌倉時代におよびます。当時は鎌倉を中心とする関東地方、京都を中心とする近畿地方において大きな戦乱が続いていたため、難を逃れて地方に移り住んだ刀匠たちがこの地に良質な焼刃土（焼入れに欠かせない土）と水、炭を発見し、刀を打ち始めたのが発端となったといわれています。

以後、関刀鍛冶が独自の鍛刀法「関伝」などを編み出し飛躍的に発展させ、戦国時代当時の刀匠として名刀「孫六」として名高い孫六兼元や、和泉守兼定などが登場しています。しかし江戸時代に入り世が泰平になるにつれて、刀剣の需要は激減し刀匠も多くが農業用刃物や家庭用刃物の製造へと転業していきました。

今でも、関の刀剣づくりの信念が生き続け、明治維新後は包丁、ハサミ、ナイフ、洋食器、替刃など、高品質な製品をつくり続けています。毎年、本町通りを会場として刃物大廉売市や古式日本刀鍛錬などが行われています。

下呂温泉

岐阜の観光スポットでは下呂温泉が有名です。名泉を気軽に楽しむなら、「足湯」がおすすめです。温泉街の散策に疲れたら、足湯でひと休み。下呂温泉には何ヵ所も足湯のスポットがあります。

愛知県

日本を代表する地鶏、名古屋コーチン

「養鶏王国」愛知の養鶏業は、江戸時代末期に尾張藩士によって鶏の飼育が行われたのが起源といわれ、明治時代以降も産業として定着、発展して、日本の養鶏産業をリードしてきました。この愛知の養鶏の発展とともに歩んできたのが、名古屋コーチンです。

名古屋コーチンは明治15年頃に旧尾張藩士の海部荘平・正秀兄弟が、

丈夫で卵をよく産む鶏をつくろうと試行錯誤した末に、中国から入手した「バフコーチン」と尾張地方で飼育されていた鶏をかけ合わせて誕生させました。

名古屋コーチンは肉質、産卵能力に優れ、強健で温厚であるという長所を兼ね備えていたことから、全国に広まり、1905年（明治38年）には国内初の実用鶏種として認定されました。その後も、国内の養鶏産業の発展とともに活躍しました。

ところが、1960年代前半に、外国から大量生産に適した採卵鶏や肉用鶏（ブロイラー）が輸入されると、卵肉兼用種であった名古屋コーチンは次第に活躍の場を失い、その数は激減、種の絶滅という大きな危機を迎えました。

しかし、1970年代前半から愛知の鶏料理に欠くことができない「かしわ」を復活させるため、愛知県農業総合試験場はじめ多くの関係者の努力により、名古屋コーチンは地鶏肉の生産という新たな展開をして、絶滅の危機を乗り越え、再び活躍の場を取り戻しました。現在も圧倒的な知名度と人気を誇る「地鶏の王様」として君臨しています。

昔ながらのかしわの味

肥育専用の鶏であるブロイラーは約50日間ほどの短期間で出荷されますが、名古屋コーチンは性成熟に達する頃（約120〜150日）までじっくりと飼育しています。そのため、コクのある旨みと、締まった歯ごた

えが増し、ブロイラーにはない奥深い味わいが感じられます。

さらに、ほとんどの地鶏が在来種と肥育専用の外国鶏とを交配させた交雑鶏であるのに対し、名古屋コーチンは他の鶏と交配させることなく、純血のまま生産されていることから、昔なが

らの地鶏の味を存分に堪能できます。

　名古屋コーチンを用いた郷土料理としては、「かしわのひきずり」が代表的な郷土の味です。「かしわ」は全国でも鶏肉のことを指していいます。一方、「ひきずり」はすき焼き鍋のことをいいますが、煮方や味付けなどの調理法には尾張地方独自のスタイルがあります。その語源は諸説ありますが、鍋からとって食べる動作が食材をひきずって小鉢に持ってくるように見えるところから、ひきずりと呼ぶようになったと一般にいわれています。

　尾張地方では名古屋コーチンが多くの家の庭先で飼われていた頃、ひきずりは家族が揃った時の御馳走メニューの定番でした。現在でもその味を味わうことができます。

　ひきずり以外にも、名古屋コーチン料理には串焼きや鍋物、刺身、手羽先、鶏めしなどの多種多様なメニューがあり、それらを味わえるのも名古屋コーチンの魅力です。

　さらに、名古屋コーチンは肉と同様に、卵も美味しいと注目されています。

　名古屋コーチンの卵は、白玉卵や赤玉卵とは異なり、美しい桜色の卵殻色をしているのが特徴です。卵の大きさはやや小ぶりですが、卵全体に占める卵黄の比率が高く、とろっとした粘りのある舌ざわりがあり、味は濃厚です。

　新鮮な卵を卵かけ御飯にして食べるのもいいですが、厚焼き卵にして

も形がしっかりして、歯ごたえのある食感が味わえます。親子丼、だし巻き卵、卵スープ、伊達巻、煮卵、温泉卵など、名古屋コーチンの卵を用いた料理や商品も種類が増えてきています。また、プリンやカステラ、ケーキ、アイスクリームのような菓子類にも利用され、数多くの人気商品が開発されています。

ウナギ生産とひつまぶし

　また、名古屋名物として全国的に知られている「ひつまぶし」は、ウナギの蒲焼きを細かく刻んでおひつの中のご飯にのせたものです。おひつの中のご飯を混ぜて食べることからこの名がつけられたといわれています。

　愛知県はウナギの生産地としても日本有数です。一色町では、ウナギ産地として「一色産うなぎブランド普及協議会」を立ち上げ、一色産ウナギの知名度アップや消費拡大を図るため、ひつまぶしをはじめ、ウナギととろろの包み焼きなど美味しい食べ方、新しいレシピを紹介しています。

Topic

長野県　小布施町に見る街おこし、街づくり

　小布施は、「ミュージアムタウン小布施」として、その歴史を象徴する代表的な街づくりに成功した例として知られています。そのミュージアムタウン小布施には、もてなしの仕組みがあります。小布施堂には「食と美のミュージアム」があり、そこではクリ菓子・日本酒・地元食材や生クリ菓子を提供しています。この食と美のミュージアムは、小布施堂を象徴するスポットとなっています。

　小布施町では、歴史的な景観を単に保存するだけでなく、「修景」という手法によって新しい街づくりを生み出してきました。

　景観の修復と生活の場の改善、そして住民のための住みやすい街づくりがそれです。小布施で重要なのは「人の生活がある、いきいきとした景観」だといわれています。小布施町では、住民が自宅の庭を観光客に公開する官民一体となった花の街づくりへの取り組み、「オープンガーデン運動」や、生活の場、人の生活がある景観によって、今では毎年、人口の百倍に相当する 120 万人もの観光客が訪れるようになっています。

近畿地方

紀南地方の「めはり寿司」

　和歌山県の紀南地方では、高菜の塩漬けでご飯をくるんだおにぎり「めはり寿司」がよく食べられます。もともとは山仕事や農作業の弁当だったようですが、口も目も大きく張って食べたことから「めはり寿司」と呼ばれるようになったともいわれるくらい、大きなおにぎりだったようです。

　紀南地方では、高菜を外側から葉を1枚ずつとっていき、株自体は植えたままにして半年くらい収穫を続ける栽培を行っています。収穫期にあたる冬期は塩漬けにし、その後は、さらに味噌漬けにするなど、家庭によりさまざまな高菜漬けを使っためはり寿司があります。

　現在では一口サイズの小振りな大きさのものが一般的で、醤油だれを高菜につけたり、刻んだ高菜、ゴマ、鰹節などをご飯に混ぜたりするなど、いろいろな味で楽しまれています。

海産物が乏しい盆地ならではの特産・郷土料理

　京都は、古くから夏は暑く冬は寒い、典型的な盆地の気候を有してきました。また、日本海に接する京都府北部は昔から御所がある中心地（京都市）からは遠く、京都府南部に位置し周りを山に囲まれていることから、新鮮な海産物が手に入りにくいものでした。

　そこで、朝廷や公家が種類の乏しい食材を楽しむために工夫されたものが京料理です。

　よく間違えられることですが、精進料理は生ものを避けた神仏の場の席、懐石料理には茶会（食事）の席、会席料理には酒宴の席という意味

があり、本来の京料理とは異なります。現在の京料理は、見た目を楽しませる料理という点で、懐石料理や会席料理の豊富な品数を取り入れているといって良いでしょう。

京料理の食材のおもなものに、加茂川の水を活かした特産が挙げられます。

加茂川の水を利用したものに豆腐があります。京料理のいろいろな料理方法により、南禅寺、嵐山、北野天満宮や大徳寺など、地域ごとだけでなく、店によって味覚や触覚の違いが楽しめます。もちろん、冷奴や湯豆腐、湯葉など、その料理や味付けにあった多くの種類の豆腐が誕生しています。

京野菜については、京料理に適した京都独特（濃厚さやみずみずしさを出した）の野菜づくりを行政が主導しています。1987年（昭和62年）に京都府がダイコン、カブ、加茂なす、九条ねぎ、ジュンサイ、壬生菜、京水菜など20点を地域指定し、その後も指定を追加しています。

それを活かしたものに、京漬物があります。中でも、京都の三大漬物には、千枚漬、柴漬け、すぐきがあり、長期保存用という考えだけでなく、野菜本来の甘みや酸味を活かした一品として、遠方からも注文が入ります。また、その京漬物や、京野菜を販売している京都中心部の錦市場商店街は、観光客で平日も賑わっています。

盆地を活かした特産として、京都南部の山城地区ではタケノコが挙げられます。3月下旬から4月下旬にかけて、まだ地面に芽を出さない段階で掘り出す朝堀りのタケノコは、刺身にして生で食べられるほど、やわらかく甘みがあります。

そんな京都で有名な唯一の海産物加工品がサバ寿司です。日本海側の福井県小浜から琵琶湖湖西の山道を通って入ってくるもので、冷蔵のない時代の保存食としてのなれ寿司です。現代では、各地から運ばれ、押し寿司として多くの人に好まれて食べられています。

「伏見とうがらし」と「ちりめんじゃこの炊いたん」は、伏見とうがらしを使った、京都では夏の定番料理です。「炊いたん」とは京都弁で煮

物のこと。伏見とうがらしにちりめんじゃこを加え、炒め煮した、京都の「おばんざい」（庶民のおそうざい）のひとつで、暑い夏の常備菜として食卓に並びます。

祇園祭

7月1～31日の1ヵ月間にわたり繰り広げられる祭りで、大阪の天神祭、東京の神田祭とともに、日本三大祭りに挙げられます。また、祭り期間中、29台の山鉾（やまほこ）が市中に出され、岐阜の高山祭、滋賀の長浜曳山まつりとともに、日本三大曳山祭りにも挙げられます。京都の八坂神社の祭りで、歴史は古く、約1,100年にもなるといわれています。中でもクライマックスは、山鉾が市中に披露される15日の宵々山、16日の宵山、17日の山鉾巡行には、多くの観光客が訪れます。

三大漬物と京野菜には欠かせない食材

京都市北部を中心に、長期保存用という考えだけでなく、野菜の甘みや酸味を引き出した漬物が特産で、千枚漬は昆布などを使っているのが特徴で、長期保存はできません。他に柴漬け、すぐきと合わせて京都の三大漬物と呼ばれています。また、以下に挙げるような食材は京料理になくてはならないものともいえます。

●京豆腐

清水寺、南禅寺、銀閣寺、大徳寺、北野天満宮、嵐山などの観光名所に、それぞれが店独自の生産方法で、特徴をもたせた豆腐です。

●京野菜

京都府が主導した地域指定野菜（1987年）で、ダイコン、カブ、加茂なす、九条ねぎ、ジュンサイ、壬生菜、京水菜など20数品種が指定され、その後も追加指定されています。

●丹波栗、丹波黒豆

京都北部の丹波篠山地域で採れるクリや黒豆。黒豆は枝豆などに重宝されています。

北国街道と琵琶湖に育くまれた品々

滋賀県

かつては五街道に次ぐほど重要な幹線とされていたのが、長浜の町を南北に貫く北国街道です。多くの人々や荷物で賑わいを見せてきました。

特に、江戸時代から長浜の中心となってきた谷汲街道と北国街道が交差するあたりには、1900年（明治33年）に第百三十銀行長浜支店が建造されるなど、瀟洒な建物もつくられています。洋風土蔵造りに黒漆喰の壁という和洋折衷の外観のため、「黒壁銀行」と呼ばれ市民に親しまれてきたものです。

その黒壁銀行に解体の話が浮かんだのは、昭和末期のこと。

しかし市民の間から、歴史的・文化的遺産として後世に残していこう、と声が上がります。その声は次々に広がり、1988年（昭和63年）、第3セクター「黒壁」の誕生へとつながりました。銀行はもちろん、江戸時代の古き良き街並みを活かして街づくりを行う試みがなされています。

同じく長浜市にあり、北国街道沿いに位置するかつての木之本宿も大名行列や飛脚など多くの人々が行き交ったといいます。琵琶湖岸にほど近く自然にも恵まれ、人々の交流も盛んであった土地柄だったといえるでしょう。

そんな長浜市の特産として、近江牛、鮒寿司、湖魚料理が挙げられます。近江牛はやわらかいだけでなく、深い味わいの高級和牛として江戸時代から知られています。

その秘密は、血統の良い牛だけを、近江の自然の中で丹精込めて育てることにあります。ステーキやしゃぶしゃぶ、すき焼きなど、どんな料理にしても美味しく食べられ、全国的に人気を博しています。

秀吉公が好んで食したという鮒寿司は、独特の香りと酸味が魅力の近江を代表する郷土料理。日本の寿司の元祖ともいわれています。琵琶湖

特産のニゴロブナの子持ちを白飯で包み、樽の中で1年かけて発酵させたもので、酒の肴に最適。湖北の地酒と一緒に味わえば、旨さも格別です。市内の料理店で食べられますが、土産物店などでも手に入ります。琵琶湖の豊かな自然から湖魚料理があります。湖水ならではの生態をもつ小アユをはじめ、イサザ、モロコなど多彩な恵みをもたらしてくれます。

　これらの魚を美味しく食べる料理に出会うことも、旅の醍醐味のひとつです。たとえば、フナの身にフナの卵をまぶした刺身は、この地域独特の食べ方。さらに、昔ながらの製法でつくられた湖魚の佃煮は土産物として人気が高く、店ごとのこだわりと微妙な味わいの違いを食べ比べてみるのも一興です。

歴史ロマンの満喫と鮒寿司、銘酒などの特産

　長浜市は日本の歴史上、最も激動した時代といえる戦国時代、時代の寵児であった豊臣秀吉とはゆかりが深い土地です。彼が初めて一国一城の主となった長浜城は正に出世城だといえます。年貢免除などの都市経営が功を奏し城下町として発展し、さらには北国街道の宿場町、大通寺の門前町、琵琶湖の港町など多様なイメージをもつ街として栄えました。

　かつて北国街道は中山道と北陸路を結び、多くの武将、商人が往来していたものです。街の中でその北国街道と大手門通りが交差するところが「札の辻」と呼ばれ長浜の中心地でありました。1900年（明治33年）にこの「札の辻」に第百三十銀行長浜支店が建てられ「黒壁銀行」「大手の黒壁」の愛称で人々に親しまれました。
　建物はさまざまな変遷をたどりましたが、1989年（平成元年）に古い歴史と芸術的なガラス文化を融合して「黒壁ガラス館・黒壁1号館」としてオープンし、長浜の街づくりの中心的存在となりました。現在はこの黒壁1号館を中心にして、約30館からなる総称「黒壁スクエア」を形成し、さらに江戸から明治にかけての和風建造物が立ち並び、情緒ある街並みとなっています。
　過去、日経産業消費研究所調査による「魅力ある街として専門家が注

目する上位17地区」の第1位に長浜・黒壁スクエアが挙げられ、街づくりの成功例として長浜市はその名をはせています。

　北国街道を北に進むと北国脇往還と交わる地点が宿場町・門前町の木之本町です。日本三大地蔵尊のひとつ木之本地蔵尊、秀吉公が天下人の足がかりとした賤ヶ岳合戦の古戦場跡など、観光名所の他、街は本陣跡やうだつのあがる街並みが続いていて、今も古の文化の名残を漂わせています。

　秋になると多くの渡り鳥が琵琶湖に飛来して冬を越します。オオヒシクイ、コハクチョウ、カモ、ガンなどなどさながら野鳥の楽園と化します。当地で飼育され食に供されるマガモも自然に近い環境で育てられ出荷されていて、鴨の里の会がつくる「真鴨ロース」は特産として人気が集まっています。
　銘菓としては、菓匠禄兵衛の「でっち羊羹」、みつとし本舗の「丸子船煎餅」なども有名です。

　滋賀県は緑豊かな山並みと広大な琵琶湖をもつ湖と森の国です。また、古代から中世、そして近代へと時代が変遷する中で常に歴史の回転点であり続けました。功名を求め、栄華を競った者たちの夢の跡に出会えます。特に湖北地域にはその原形が多く残り、今でもその足音が聞こえてきそうでもあります。

　湖北の湖岸道路をドライブするとき車窓から見る夕日の残照、湖面にキラキラと輝く光の帯には畏敬の念すら感じさせる荘厳なる風景が広がり、息を呑むほど美しいものです。

　滋賀県湖北地域、長浜市に足を延ばし、歴史のロマンを満喫したいものです。

Topic

大阪府　特産とともに堪能したいお花見

　大阪といえば、通天閣に道頓堀、食い倒れの街、お笑いの街といわれています。しかし実は、大阪の魅力のひとつにお花見があります。この花見桜の並木は天満橋から桜之宮橋（銀橋）あたりを中心に、ソメイヨシノ、ヤマザクラ、サトザクラなど約4,800本が植えられており、夜遅くまでたくさんの花見客で賑わいます。

　大川の毛馬洗い堰（けまあらいぜき）から下流の天満橋まで延長4.2キロの河川敷を利用した河岸公園で右岸には造幣局や泉布観など明治初期を代表する建築物があります。4月中旬〜下旬には、造幣局の構内を一般花見客用に開放し「造幣局桜の通り抜け」といわれています。

　お花見をしたら、お好み焼きにたこ焼き、二度づけお断りの串カツなどなど、浪花名物の数々を堪能してみてはいかがでしょうか。

兵庫県　神戸の都市観光と神戸ビーフ

　神戸といえば、三宮・元町界隈はセンスあふれる神戸の都心部として知られています。特に三宮は交通網が集中する一大ターミナルで、その周辺にはおしゃれな神戸、食の神戸に出会えるお店がたくさんあります。

　旧居留地には、レンガや石でつくられたレトロな洋館が立ち並び、今も往時の面影を色濃く残しています。旧居留地を南北に結ぶトアロードの西には、オリエンタルなムードが漂うチャイナタウン・南京町があります。

　三宮から山側へ、ゆるやかな坂道を登りつめると、そこは異人館の街・北野。かつて、故国を離れた外国人たちが、海の見える高台に邸宅を構え、故郷に想いをはせたことから誕生した街です。

　トンガリ屋根に風見鶏がチョコンと乗った風見鶏の館は北野のシンボルとなっています。特に兵庫県は、但馬牛（たじまうし）（兵庫県産の黒毛和種の一種）で種付けされた牛、神戸ビーフがあり、これは米沢牛（山

形県)・松阪牛（三重県）とともに、日本三大和牛のひとつです（米沢牛の代わりに近江牛を含めることもあります）。神戸に来たら、一度は味わってみたい一品です。

中国地方

鳥取県

砂浜のらっきょうと砂丘

　鳥取県内には、歴史の中の時間をそのまま感じられる場所があります。たとえば鳥取県にそびえる霊峰大山ですが、大山の歴史をひもといていくと、『出雲国風土記』の「国引き」神話に始まり、後醍醐天皇の御遷幸、僧兵の騒乱など、長い歴史の営みを今に残しています。因幡の白兎も出雲神話のひとつです。

　鳥取県の特産としてはナシの「二十世紀」が有名ですが、砂丘らっきょうも忘れてはなりません。鳥取県といえば砂丘で知られますが、その名のとおり砂丘で採れるらっきょうです。一般的ならっきょうと比べて歯ごたえが強く、しゃきしゃきとした食感が楽しめるのが特徴です。また、らっきょう本来の風味が強いので、焼いただけでも十分美味しく食べられます。旬は5〜6月です。

　また、鳥取県は古くから湯治場として、数多くの温泉が湧くところですが、普段の生活の湯として温泉を楽しむ文化があります。鳥取県内10ヵ所に湧く温泉は、ゆったりと楽しめる湯めぐり温泉として、贅沢な気分を提供しています。中でも、岩井温泉は因幡最古の温泉で、江戸時代から伝わる「湯かむり」の里です。

　鳥取温泉は鳥取駅から徒歩5分と繁華街に湧く全国でも珍しい温泉で、市内で温泉めぐりができます。三朝温泉は、三徳山川沿いから湧き続けている世界有数のラジウム泉。皆生温泉は、白砂青松の海辺に湧く温泉です。

Topic

岡山県　歴史・文化の発信地

　岡山県は、全国的に有名な観光地の倉敷美観地区や、美術館・博物館が集積する岡山カルチャーゾーンなど、岡山県内には個性ある街並みが多く、文化の発信地として今も多くの人々が訪れています。

　また、備前焼は全国に知られていますが、匠の技が伝える伝統工芸品や、豊かな産業が生み出す製品など、岡山は全国に名高い銘品の産地。匠の技を今に伝える数々の銘品は、岡山のみならず全国で愛好されています。

　名所旧跡地としての後楽園は、約300年前の江戸時代に、14年の歳月をかけて造園されました。また、黒い外観から「烏城」とも呼ばれる岡山城など、岡山には数多くの歴史・文化の発信地があります。

　郷土料理として知られるものに、「ばら寿司」があります。岡山県のばら寿司は、江戸時代に、備前岡山藩の初代藩主、池田光政候が質素倹約を奨励するため、町民に「食膳は一汁一菜とする」とのお触れを出したことが始まりといわれています。現在では、海の幸、山の幸を盛り込んだ「ばら寿司」が、「岡山寿司」あるいは「祭り寿司」と呼ばれ、お祝い事、お祭りの日の料理としても受け継がれています。

島根県　めのは飯

　島根県出雲地方では、早春に収穫されるワカメの新芽のことを「めのは」と呼んでいます。その昔、後醍醐天皇が島根県の隠岐の島に流刑（1332年）になった際、地元の漁夫が干した「めのは」と干した「魚の身」を握り飯にして差し上げたところ、手づかみで食べられたことが由来とされるのが「めのは飯」です。

「めのは」を軽くあぶり手もみにしたものと、魚の干物（カマスなど）の身をほぐしたものを酒や昆布と一緒に入れて、炊いたご飯の上にかけて混ぜ合わせ、好みで大葉などを入れると、より美味しく

食すことができます。

広島県　自然の恵み豊かな味覚の数々

　瀬戸内海と中国山地の豊かな自然に恵まれた広島県。世界文化遺産に登録された宮島をはじめ、広島には魅力的な観光スポットが多くあります。また、自然に恵まれた広島には美味しいものも豊富です。

　広島風お好み焼きやカキ、アナゴ料理。また「もみじまんじゅう」といえば広島土産の代表格です。

　郷土料理で面白いものは、ワニ料理。ワニは方言で「サメ」のこと。そのトロッとした舌ざわりは、一度食べたら忘れられない味です。

　広島県で漁獲されるイワシの多くはカタクチイワシで、成魚でも10～15センチ程度であるため「小イワシ」と呼ばれています。イワシは鮮度が落ちやすい魚ですが、「刺身」でいただくのもまた絶品です。

　薄めのティースプーンで骨に沿って身を削いでから流水できれいに洗い、冷蔵庫で冷やしてから生姜とネギ、ワサビなどの薬味でいただきます。

　広島では、イワシをよく洗うことで、生臭さがとれ高級魚のタイの味にも勝るとして「7度洗えばタイの味」といわれ、新鮮なイワシを刺身にして食べるのは、瀬戸内地方独特の食文化となっています。

山口県　武士のもてなし料理「ちしゃなます」

　戦国時代、西日本最大の大名であった毛利氏は、関ヶ原の戦いに敗れ領地を現在の山口県のみに減らされました。その際、貧窮の生活をしていた家臣たちが冠婚葬祭や来客の「もてなし料理」として出したのが「ちしゃなます」です。

　つくり方は、カキチシャ（レタス）を手で食べやすい大きさにちぎり、酢味噌やゴマなどと和えるだけの質素で簡単な料理です。カキチシャは、古くは県内各地で栽培され、冬の寒さと太陽の光で赤々とした葉になり、春には60センチぐらいにまで成長します。

山口県の方言で「摘む」ことを「かぐ」といい、「かいで」収穫する「チシャ」が訛って「カキチシャ」と呼ばれるようになったといわれるカキチシャ。「ちしゃなます」は、今でも冬場の家庭料理として親しまれています。

四国地方

鳥取県

オリーブとそうめん、醤油の島　小豆島

　小豆島は、瀬戸内海に浮かぶオリーブの島。周囲 125.7 キロ、面積 153.2 平方キロ、人口およそ 35,000 人、壺井栄の小説『二十四の瞳』の舞台となり、松竹映画のロケ地として全国に知られています。

「二十四の瞳映画村」をはじめ日本三大奇勝のひとつである寒霞渓、銚子渓お猿の国、美しのはら高原、オリーブ神殿、弘法大師が開いたと伝えられる八十八ヵ所霊場など訪れるところは多くあります。

　島内を周遊する方法は、車、定期バス、島めぐり定期観光バスなどいろいろとありますが、初めて訪れる人には、「島めぐり定期観光バス」がおすすめ。小豆島は地図で見るとそんなに大きく感じませんが、現地に来てみると意外と大きいことに気づきます。

　香川県の特産はなんといっても讃岐うどんですが、ここ小豆島は、そうめんと醤油が特産です。小豆島の手延そうめんは、播州（兵庫県）、三輪（奈良県）と並ぶ日本三大そうめん産地のひとつです。

　日本の麺の中でも最も古いものとされ、ルーツは中国であるといわれているそうめんは、三輪（現在の奈良県桜井市三輪）が発祥の地とされており、小豆島のそうめんも、1598 年（慶長 3 年）、池田町の人がお伊勢参りの帰りに、三輪でそうめんづくりの技術を習って帰り、島に広めたのが始まりだといわれています。

　今も機械に頼らず手練の手延法によっ

て、棒状から極細の糸様により細く、より美味しく愛情をこめて引き延ばし、これを自然の天日で乾燥させてつくっています。

　香川で醤油づくりが始まったのは、400年余り前の豊臣時代といわれ、全国屈指の醤油どころとして知られます。讃岐本土の醤油づくりも、伝統の製法を守り伝える他、だし、つゆ、たれなど、生活の多様化に合わせた調味素材も生産されています。

「丸ずし」と「焼き鯖」の伊予・内子

　愛媛県南予の山間部には、甘酢で味付けしたオカラを、酢締めした小魚（アマギ、アジなど）に詰めたり、三枚におろした魚の身でくるんだ「丸ずし」があります。愛媛県喜多郡内子町は南予の入り口に位置し、丸ずしは内子名物として地元の人たちや観光客に親しまれています。

　内子町は、肱川支流の小田川が流れる山の中の小さな盆地に開け、木蝋や生糸の生産販売、また、薬などの卸商の町として江戸末期から明治・大正にかけて栄えていました。その伝統的な街並みが今も当時の面影を残し、中でも1916年（大正5年）に商家の旦那衆が建てた「内子座」は有名で、多くの観光客が訪れています。

　また、内子町の道の駅「内子フレッシュパークからり」は、野菜や加工品などの地域産品や手づくりパン・ソーセージ類の製造販売、地域の素材を使用したレストランなど、たいへん人気があり、内子観光の大きな要となっています。

さて、内子の商家の主たちは当時、町の旦那衆として羽振りをきかせていましたが、その旦那衆の食を支えていたのが町の鮮魚商でした。山の中で鮮魚商というと首を傾げるかもしれませんが、内子から峠を越えれば、瀬戸内の双海に出られます。

当時の鮮魚商は未明の2時頃に内子を徒歩で出発し、朝には双海で新鮮な魚を仕入れてとって返すと再び峠を越えて、お昼頃には内子の町で売っていました。実に往復10時間かけて鮮魚を運んでいたのです。鮮魚商はこのようにして、旦那衆に海辺の地域に匹敵する魚料理を提供していました。山間地の鮮魚商のたゆまぬ努力が、この地に独特の魚文化をもたらしたのでした。

『新編内子町誌』の年表には、「明治28年3月24日、内子公営魚市場が開設される」（内子町役場文書より）とあり、さらに本文中には『内子町誌』（昭和46年11月30日発行）からの引用で、「明治40年頃、当時の町長の佐伯敬次氏が、町営の魚市場を後小路に開設した」との記述があります。独特の魚文化が山間の地に「魚市場」を設けることにつながったのでしょう。

山の中の海魚料理

内子を中心とする南予では、「さつま汁」や「鯛めし」、「焼き鯖」そして「丸ずし」が、多くの人たちの好物になっています。ことに「焼き鯖」と「丸ずし」は、この地域の人々になくてはならない食べ物です。

ある年齢以上のこの地の人は、だれもが「焼き鯖に育てられた」といいます。どうりで、スーパーにも「焼き鯖」が並んでいるわけです。かつては宇和海や瀬戸内のサバが用いられていて、庶民にとってはハレの食べ物でした。日常は、焼くと塩が噴き出るほどしょっぱい「塩鯖」を食べていたそうです。

この「焼き鯖」は今日では南予名物とされ、内子町立山の「大田原鮮魚店」をはじめ、町内のあちこちでサバを焼く煙が立ち上っています。大江健三郎さん（ノーベル文学賞作家）の出身地で山中にある内子町大瀬近くにも、「焼き鯖ハウス」と称する店があるほどです。惜しむらくは、

現在使われているサバの多くが国産ではないことでしょうか。

　そこで、「丸ずし」です。そのいわれには、さまざまな説がありますが、この地域では味の良い豆腐がそこここで見られ、当然、オカラは身近な存在でした。オカラを寿司に仕立てるのは、江戸時代の料理書『名飯部類』（杉野権兵衛、1802年）にも「きらずずし」という名で挙げられているように、古くから行われていました。実際、伊予の瀬戸内海沿岸では「いずみや」、伊予とは海を隔てた長門では「きらずすし」、豊後の臼杵では「きらすめめし」、島根県浜田市にも「おまんずし」という名のオカラ寿司があります。

　しかし、この中で南予の内子町に見られる「丸ずし」の最大の特徴は、「焼き鯖」と同じように、山の中でつくられていることです。内子町中心部の「かつ盛」、小田（大瀬以上に山の中）の「浜野」といった鮮魚店が有名ですが、この地区の魚屋やスーパーには必ずといってよいほど、形は少しずつ異なっても「丸ずし」が並んでいます。

　おいしいオカラと手に入りやすい小魚が「丸ずし」の原点なのでしょう。一度食べると、また食べたくなる不思議な寿司です。

　他には、伊予地方の郷土料理としての「さつま汁」は、おろした魚をすり鉢ですりおろし、それを焼き味噌に加えて混ぜてさらに焼き、だし汁を加えてどろどろにのばした汁です。ご飯にかけて食べます。タイなどの高級魚を大家族全員で味わうのに、手頃な料理法だったといわれています。

　タイめしは、南予ではタイの刺身をご飯にのせて、卵の黄身と薬味をたれと混ぜてかけて食べるものです。タイ以外の魚を用いるときは「ひゅうが飯」といいますが、それ以外の伊予地方では、丸ごと焼いたタイを炊き込みご飯のように調理したものです。

Topic

徳島県　阿波の国

　徳島といえば、なんといっても「阿波おどり」。400年の歴史を
もつ庶民の祭りは、8月のお盆の時期に県内一帯で行われ、特に徳
島市内の阿波おどりは全国各地から約130万人の人出で賑わいます。

　また恵まれた自然によって、農産物・海産物の生産量も高く、ス
ダチやなると金時、阿波尾鶏などが知られています。特に、関西圏
においては、明石海峡大橋・大鳴門橋で結ばれているという地理的
条件を活かし、たくさんの県産品が出荷されています。「徳島ラー
メン」「たらいうどん」「祖谷そば」「半田そうめん」といった麺料
理も盛んです。

九州地方

福 岡 県

食の九州

　九州は、食材が豊富なことが特徴です。玄界灘、五島灘、豊後水道、有明海、さらに九州は島が多くあります。壱岐、対馬、五島列島、屋久島、種子島、奄美列島など、これらの海域で新鮮な魚介類が収穫されています。それに加えて、山野で育つ食材やブランド牛がいくつもあります。また、九州は各県、地域特有の料理が多いのが特徴です。その地域の歴史や文化に育まれた特産や郷土料理で名物といわれるものが多くあるのが九州です。

九州の玄関口

　まず福岡は全国的に有名な博多ラーメンやモツ鍋、水炊きなどがあり、一口サイズの博多ぎょうざや、玄海灘で獲れる新鮮な魚料理なども楽しめる、食・グルメの宝庫です。

　福岡は九州の最大商業地でありながら、中洲、天神、長浜などを中心とする夜の屋台の食文化もあります。屋台のメニューは、博多ラーメンはもちろん、おでん、焼き鳥、天ぷら、モツ鍋、鉄板焼きから西洋料理や沖縄料理までバラエティに富んでいます。

　およそ 100 年の歴史をもつといわれる福岡の代表的な郷土料理に「水炊き」があります。水炊きは、骨付きの鶏肉でじっくりだしをとったスープで食べる鍋料理です。鶏の旨みが溶け込んだスープはあっさりとしていて、そのまま飲んでもとても深い味わいがあります。博多の水炊き専門店では仲居さんがつききりで、鍋の世話をしてく

れるところもあります。具材を入れるタイミングでスープの味が変わってくるためのこだわりです。

　また、博多には伝統工芸品として、博多人形、博多曲物、博多独楽など、職人技が光るものが多くあります。伝統工芸品は、福岡空港や博多駅でも売られていますが、福岡市博多区の「博多町家」ふるさと館では博多人形や博多織の実演を見学することもできます。

　もうひとつ、ぜひ訪ねてみたいのが八女の街です。八女市は、福岡県南西部の市。筑後経済圏に属します。九州最大の筑後川、清流・矢部川の２つの河川に挟まれ、河川の氾濫で得た肥沃な土壌と豊富な水源・なだらかな山々が織りなす気候風土により、古代から人々に自然の恵みを与えてきた土地です。

　八女市は「八女茶」の産地として知られています。八女地方を代表する茶園は、八女市の北東部・本地区のゆるやかな傾斜に広がり、まるで見渡す限り緑のじゅうたんが敷かれたような光景が広がります。

　また、八女は九州最大の伝統工芸都市でもあります。福島仏壇・八女提灯・石灯籠・和紙・箱雛人形・八女独楽・竹細工などがあります。八女福島の町家は土蔵造りで、商家的な色彩と職人的な色彩を併せ持った、江戸、明治、大正、昭和初期の伝統様式の100軒以上の建物が旧往還道路沿いに連なります。この沿道には、昔なつかしいお茶屋、味噌屋、和菓子屋、仏壇店、提灯店、日用雑貨店、手づくりかまぼこ店、種物店などが並び、魅力にあふれています。

鹿児島県

黒潮が育んだ風土とさつまあげ

　鹿児島県は九州本島最南端に位置し、黒潮がもたらす温暖な気候と桜島や貴重な動植物の宝庫です。歴史についても、特に明治維新において多くの偉人を輩出しており、県内の各所に歴史をしのばせる名所が点在します。

　幕末期に多くの偉人が出た背景には島津家の影響が大きいのですが、なんといってもやはり、鹿児島市内からどっしりと雄大な姿を見せる桜島の影響が最も大きいのではないでしょうか。毎日のように噴煙をあげる活火山の桜島は、地球のエネルギーを感じさせ、我々人間に大きく生きよ、といわんばかりです。

　その桜島には、鹿児島からフェリーでわずか15分で渡ることができます。桜島に着いたら、ぜひともそのエネルギーを体で感じとってください。フェリーターミナルそばには、温泉施設があり無料の足湯もあります。

　足湯は、全長約100メートルもあり、錦江湾や鹿児島市内を見渡せ、さながらリゾート気分も味わえます。足湯につかりながら、幕末に活躍した人々に想いをはせ、明日への活力にしてはどうでしょうか。

焼酎の友、さつまあげ

　焼酎もさつまあげも、ともに南アジアが起源とされています。まさに黒潮が運んできた食物で、暑い南国にはぴったりです。

　さつまあげは、鹿児島では「つけあげ」「ちけあげ」とも呼ばれますが、沖縄の「チキアギ」が語源ともいわれます。島津藩の名君島津斉彬公が、京都のはんぺんを真似てつくらせたという説もあります。

　地酒や砂糖が入っているためやや甘い味付けが特徴で、砂糖を多用するのは、沖縄・奄美とのかつての関係からともいわれます。

　現在も県内に多くのさつまあげ製造業者があり、県内外で消費されています。味付けも店ごとに特徴があり、近年は野菜やチーズ入りなどの変

わり種も増えてきました。各店の味比べをしてみるのも楽しいでしょう。

古くから琉球の粋を集めた美しき島、久米島と海洋深層水

沖縄県

久米島は、沖縄本島那覇市の西方約100キロの東シナ海に位置し、久米島本島および奥武島・オーハ島の有人離島・鳥島・硫黄鳥島などの無人島から構成されています。貿易が盛んだった琉球王朝時代から、琉球列島の中で最も美しい島であることから、久米島は「球美の島」とも呼ばれてきました。

島の南西海岸は、ゆるやかな砂丘海岸で北西海岸には、発達した珊瑚礁が延び、久米島を取り囲むような形で内海が形成されています（1983年［昭和58年］・島全体が県立自然公園に指定）。南東海岸部は、1996年（平成8年）に「日本の渚百選」に選ばれたイーフビーチやはての浜など美しい海浜地帯です。

琉球王朝時代は、中国をはじめ、東南アジアや朝鮮、日本と盛んに貿易（中継貿易）や通行を行っていた時代、久米島は、その「寄港地」として栄えていました。さまざまな文物とともに17世紀のはじめ頃、紬が伝わったとされています。久米島が初めて歴史書に登場するのは、『続日本記』で「和銅7年（714年）に球美の人が奈良を訪れた」ことが記されています。球美とは、久米島のことといわれています。そんな久米島で、今新たな特産の開発が行われています。

その拠点が、2000年（平成12年）に「沖縄県海洋深層水研究所」。ここでは、水深612メートルから深層水を汲み上げ、飲料としてだけでなく、水産物の養殖研究、農業における養液栽培や温度管理などの利用に向けた研究開発を行っています。

沖縄県海洋深層水研究所では、多段利用といってクルマエビやアワビ類、ヒラメなどの養殖が研究されています。研究所で取水している海洋深層水は、農水産分野以外にも、富栄養性および清浄性を利用した自然塩、食品添加物、化粧品などへの利用が研究されており、民間企業によっ

て多くの商品が開発されています。

　クルマエビ養殖では天然母エビを用いて種苗生産、あるいは種苗を購入して経営が営まれています。しかし、天然母エビの資源減少やウィルス汚染から、健全な母エビの確保が年々難しくなってきています。そこで、海洋深層水の低水温性、清浄性を活用した母エビ養成技術を開発し、健全な産卵用母エビの量産技術の研究を行っています。

海洋深層水を利用したアワビ類の養殖研究

　市場価値の高いエゾアワビの養殖は水温が高い沖縄県の沿岸海水（表層水）では困難です。

　しかし、海洋深層水の低水温性を利用すればこれらの飼育が可能になることと、1年を通した適温飼育でより良い成長と歩留まりが期待されます。そこでこの研究所では、これらの種苗生産から製品サイズまでの一貫した飼育を行い養殖に関する研究を行っています。

久米島海洋深層水を活用した海ブドウの養殖

　久米島海洋深層水開発株式会社では、久米島沖合いの、水深612メートルより取水される海洋深層水を活用して、年間を通じて品質の高い海ブドウ生産に取り組んでいます。海洋深層水の特徴は、清浄性、富栄養性および低温安定性であるといわれ、その特性を水質管理、水温調整に利用している。

　沖縄県は平均気温が高いため、夏場においては養殖槽の水温が高くなってしまい、海ブドウ生育に適する水温が保てなくなりますが、海洋

深層水は常に十数度の水温であるため、養殖槽に取り込んだ海水（表層水）と海洋深層水を利用して常に養殖に適する水温を保てるため、年間を通して海ブドウの出荷が可能になりました。

Topic

長崎県　カステラと佐世保バーガー

　長崎を代表するお菓子として日本全国でもおなじみのカステラは、16世紀中期にポルトガル人によって日本にもたらされたお菓子。現在のスペインに昔「カスティーリャ」という国があり、その名前に由来したといわれています。

　一方、現在注目されているのが、佐世保のハンバーガー。戦後から駐在するアメリカ海軍の影響で、さまざまなアメリカ文化を吸収してきた佐世保市。ハンバーガーも1950年（昭和25年）頃、海軍から直接レシピを聞いてつくったのが始まりといわれています。認定されたお店で出されるハンバーガーの総称が「佐世保バーガー」です。いまでは、日本人好みの味やバリエーションも増え、よく知られるようになっています。

大分県　つけだれをつけるから揚げ・とり天

　大分の「とり天」は、生姜やニンニクで下味をつけた一口サイズの鶏肉を天ぷら衣で揚げ、酢醤油（ポン酢）と練りカラシにつけて食べる郷土料理です。

　から揚げと異なるところは天ぷら衣を使用し、つけだれをつけて食べる点で、サクッとした食感を楽しめます。酢醤油に大分特産のカボスを使うと、さっぱりとしたさわやかな酸味が広がります。

　使用する鶏肉の部位や味付けを変えることで、各家庭やお店ごとにいろいろな特色が出せるため、家庭料理の定番として人気があります。全国的にはまだ知名度の低い「とり天」ですが、その美味しさは徐々に評判を呼ぶようになっています。

「観光資源と地域特産」の融合

観光特産の考え方

（1）地域における観光や特産の開発における課題

　20世紀に発展した観光も、その行動が変化し「見る」観光から「食べる」、「買う」、「体験する」、「交流する」、「集う」観光という要素が強くなっています。さらに、成熟化社会の到来により、観光・旅行者のニーズはますます「知的好奇心」や「知的快楽」の追求が重要視され、観光・旅行のスタイルも大きく変化しています。

　これは都市観光においても同様であり、魅力的都市観光のあるべき要素として「見る、買う、食べる、集う、憩う」の5つが都市観光の最も重要な要素となっています。これに加えて、新たに「体験する」、「交流する」というキーワードも加えられることでしょう。

　また、観光・旅行者が街を「回遊」することが都市型観光の最も大きな魅力となっています。

　したがって、今後の観光は「個人独自の観光」であり、「どこへ行くか」ではなく「何をしに行くか」、見るだけの観光から学習体験観光が増大し、職場などの団体観光・旅行ではなく、気のあった友人やひとりで楽しむ観光が拡大していくでしょう。このため、観光地の側では個性的で観光スタイルの多様化に対応することが重要です。

　特に観光における食文化動向の高まりは大きく、地域の特産や名産、郷土料理、名物料理などが人気となっています。またその歴史的、文化的要素が重要となり、地域の新たな特産開発需要が全国的に起こっています。

　それらの開発はその地域に経済的価値をもたらしています。しかし、課題として観光地においてはその地域の産品を活用したものではなく、

他の地域の産品なども多く並んでいることが見受けられます。地域における観光や特産の開発における、このような動向は今、大きな課題となっています。

（2）「観光特産」という考え方とその取り組み

そこで重要になってくるのが、これら観光や特産の開発における課題解決策としての「観光資源と地域特産の融合」です。それは「観光特産」という考え方です。今、急速に社会が変貌する中で、「観光特産」という考え方が今後の大きな役割を果たすものになるだろうと考えています。全国観光特産研究会は、この観光特産における活動事業を「地域特産と観光資源の融合によって生み出された商品およびサービスの活動」と捉えています。

観光特産＝観光資源×地域特産

観光特産における活動は、主要な地域資源を融合した「モノ、コト、すべてにわたる活動」です。また、そこからつくり出された「観光特産」の意味は、その活動によって生み出された「モノ」であり、その「サービス」は「コト」ということができます。さらに、この観光特産の活動を進める上で、特に重要なことは「コトづくり」、「場おこし」です。

今後「観光特産」の活動深耕により、地域の持つ自然や文化、伝統、歴史など、ありのままの「景観」や、「物語」などを商品としてどう形にするのか、アイデアでいろいろな可能性が広がるでしょう。商品のもつ品質や機能、特徴、デザインなどの表面的なことだけではなく、その商品の背景にある歴史的、文化的秘話＝物語や、それに関わる人々の生き方そのものを伝えていくことで、消費者の関心を集め、その商品のファン層を構築し、リピーターを増加させていくことにつながるからです。

（3）観光資源体系

ここでは、観光資源の分類について触れたいと思います。従来の観光

資源は一般に「自然観光資源」と「歴史文化観光資源」の２つに分類されてきました。しかし、現在のように社会が成熟化した時代では「自然観光資源」と「歴史文化観光資源」だけの枠組みでは、成果の上がるマーケティングが見えてはこなかったといえるでしょう。

　次に本研究会が考える、「観光資源体系」を示します（次ページの［表1］観光資源体系）。

　ここでも、観光資源と地域特産の融合がますます重要になっています。この観光資源体系では、「自然・景観」、「生活文化」、「伝統的歴史」、「スポーツ」、「芸術」の５つの「観光」に分類して、その観光資源を区分整理し、そのそれぞれの分野にはどのような「コトづくり」、「場おこし」が考えられるか、その事例を列記しています。

（4）まちづくりにおけるコトづくり、場おこし

　この観光資源体系では、「コトづくり」、「場おこし」において、個々の観光資源をいくつか融合して成立しているものがあります。これらは「融合観光資源活用」ともいえます。たとえば、自然・景観、生活文化、伝統的歴史、芸術文化が融合した成功例として、169ページでも触れた「小布施の街づくり」などがこうしたものです。

　さらに、現在、たとえば生活文化観光では「使い方、食べ方体験」や、芸術観光では湯布院に見られるような「温泉地と国際映画フェスティバル」開催など、観光資源と融合した「コトづくり」、「場おこし」が求められているのです。

［表１］観光資源体系（コトづくり・場おこし）

分類	観光資源	観光地	コトづくり・場おこし
自然・景観観光	・島、海（岸） ・山、川、湖沼、湿原 ・温泉 ・動植物 ・天体（星） ・自然現象（オーロラ、蜃気楼） ・四季 ・研究・調査方法、結果・考察、結論	・国立公園、国定公園 ・府県立自然公園 ・温泉街 ・リゾート施設 ・動物園、植物園、水族館 ・牧場	・牧場馬乗り体験 ・天体教室 ・オーロラ、蜃気楼を見る会
生活文化観光	・特産、名物、郷土料理 ・食と暮らし ・暮らしの道具、民家 ・都市、農山漁村の生活文化 ・都市、農山漁村の景観	・宿場町、街並み ・農山漁村の民家、郷土の暮らし ・夜景眺望地 ・ブリッジ、タワー ・倉庫街	・使い方、食べ方 ・宿場町めぐり ・農山漁村体験教室 ・郷土料理教室 ・工芸教室等 ・夜景観賞
伝統的歴史観光	・建造物 ・史跡（遺跡、城郭、古墳） ・祭礼 ・古文書 ・伝統工芸(陶磁器、絵画、彫刻）、民芸品など ・能楽、狂言、民話	・古都 ・城下町 ・神社、仏閣 ・史跡遺産地 ・門前町	・各地の祭り、コトめぐり ・祭りのディフュージョン（YOSAKOIソーラン、高円寺の阿波おどりなど） ・歴史探訪学習教室 ・能楽鑑賞会等
スポーツ観光	・サッカー、野球、相撲 ・山岳 ・スイミング、ダイビング ・フィッシング ・カヌー、ヨット ・スキー、スケートなど	・見るスポーツ（試合観戦場） ・するスポーツ（スポーツ施設）	・サッカー応援団 ・野球観戦 ・スキー教室、ダイビング教室等 ・フィッシング・コンテスト
芸術観光	・映画 ・演劇 ・音楽 ・美術など	・都市の大型複合施設 ・観光地の館、劇場施設など	・温泉地と国際映画フェスティバル（湯布院） ・高原地と音楽祭（嬬恋など） ・都市と演劇祭（池袋）

●この章の執筆者（当時）

村田　豊　　　北海道執筆

掛札　彰久　　青森県・秋田県・山形県執筆

菅野　覚　　　福島県執筆

下村　豊　　　京都府執筆

石倉　憲治　　滋賀県執筆

土井　利彦　　愛媛県執筆

加藤　エリ　　鹿児島県執筆

北　賢治　　　（一社）日本観光文化協会　理事長

小塩　稲之　　（一社）日本観光文化協会　会長

●資料提供

一般社団法人　名古屋コーチン協会

観光コーディネーターについて

　観光特産士の上級として観光コーディネーターを認定している。その
おもな業務としては、地域資源を活かした観光メニューの企画・開発・
コーディネート・宣伝および観光振興等に関する活動がある。また、着
地型観光メニュー開発や商品開発などの知識とスキルが求められる。今、
このように地域の観光資源を新しく産業化できるようなイノベーション
を興せる人材を育成することが重要です。

育成人材に必要とされる能力：
　　１．基本的な関連分野に必要な基礎能力
　　２．マーケティング、営業、広報、商品開発などの各分野における専
　　　門的知識
　　３．コミュニケーション力、マネジメントマーケティング力などの専
　　　門的能力

　連携形態推進における能力開発と総合的にプロデュースし、推進する
能力開発を行うことで、中核的役割を果たす人材育成が実現できるもの
と考えています。地域では市場の視点で、観光資源のみばかりでなく、
地域資源や街づくり、その歴史文化などを理解し、さらに農林水産物な
どの資源を活用した商品開発、マネジメントが行える人材が求められて
います。
　また、体験メニューや着地型旅行商品を連携させることで、地域経済
活性化のための仕組みを構築することのできるコーディネーターレベル
の人材を必要としています。
　観光コーディネーターの人材育成としては、わが国の観光振興を図る
ために、全国レベルの地域資源の全般的な知識を身につけ、その比較活
用をできることが重要となっています。
　ご興味をお持ちの方は、観光コーディネーター認定制度のホームペー
ジ（http://www.jtcc.jp/）をご覧ください。

あとがき

　旅をすることで、日本各地の生活文化を知ることができます。

　また、日本の各地には、それぞれ人が住み始めた頃からの歴史があり、数百年継承してきた技術などには、それを有効とさせてきた地域の人々の知恵と努力が凝縮されています。

　それは単なるアイデア倒れにならずに「ものづくり」にこだわる姿勢があったからだと考えています。

　これまで（一社）日本販路コーディネータ協会は公的支援事業、研修活動、資格認定活動などを全国各地で実施させていただきました。どの地域においても、地域資源は多様な分野にわたり、特に農林水産物資源に恵まれていました。

　今後、これらの事業を実施した地域においても観光と融合した商品開発による商品の育成が望まれています。

　私たちは、豊かな観光資源を持つ一連の地域特産の情報発信を行い、地域企業の啓発に努める他、地域の支援機関にも情報を公開して、単なる検定試験に終わることなく、基礎的な観光特産に関する知識、またより高度な観光特産のスキルをより広く浸透、普及させることが重要であると考えています。

　さらに、今後も経済産業省、文部科学省、地方公共団体、商工会議所、商工会、産業振興社、中小企業団体中央会など公的行政機関などを通じまして、地域産品、観光資源などの地域情報を入手しながら、成長が期待できる分野に積極的に取り組む生産企業や、製品開発、地域ブランド拡充などに意欲的に取り組んでいる農産物、加工物などの生産者などに重点的に接触を図り、全国各地の 47 都道府県の食と伝統工芸品、地場産業を軸に、本事業をさらに一歩推し進めてまいりたいと考えております。

2024年1月

（一社）日本観光文化協会会長

小塩　稲之

受検手続きについて

受検資格
　・学歴、年齢、性別、国籍等、受検に際しての制限はありません。

合格基準
　・合格点が満点の70％以上。

出題形式
　・4級・・・選択式全70問
　・3級・・・選択式全70問

併願受験
　4級と3級を同時に受検することが可能です。
　詳しくは以下のHPをご覧ください。

全国観光特産検定　　www.jtmm.jp

主催／一般社団法人日本観光文化協会
〒115-0055　東京都北区赤羽西1-22-15 大亜コーポ

日本観光特産大賞
All Nippon Specialties

「日本観光特産大賞」とは、一般社団法人日本観光文化協会が毎年12月に、食と観光、地元グルメ、お土産品など、その年話題になった観光特産品を表彰してゆく制度です。観光特産品の知名度・ブランド力向上を目的としております。

全国各地から、
「日本観光特産大賞　グランプリ」
「金賞　優秀賞」
「金賞　ニューウェーブ賞」
にふさわしい観光特産品を募集します。

　この活動の目的は、日本各地で育成されている観光特産品を再発見、再発掘し、一定の価値を付与することで、知名度やブランド力向上に寄与し地域の活性化を後押しするものです。
　また、協会では表彰された観光特産品の時代背景や、社会的な価値などを調査分析し、内外に発信をしてまいります。最終選考では8名の専門家が審査員となり、ノミネートされた特産品に1位から10位までランキングを付け、ポイントによる加点方式で集計し、

「観光特産大賞　グランプリ」
「金賞　優秀賞」
「金賞　ニューウェーブ賞」
を決定してゆきます。

　最終選考された3商品については、書籍「日本の観光特産」別冊版に掲載されます。また、観光特産大賞の「グランプリ」「金賞」の各ロゴの使用が認められ、商品パッケージ等に使用可能になります。

　日本観光特産の表彰については、以下の基準があります。
この中のいずれか基準に達していることが必要です。
1.観光資源（5体系）を活用した地域の特産品、特産物であること。
2.特徴的、差別化された「コトづくり」及び、「場おこし」の活動を行っていること。

※注　当協会において「観光特産」とは、「観光資源と地域特産の融合によって生み出された商品及びサービス」のことで、「観光特産＝観光資源×地域特産」という公式で定義しています。

ノミネート募集開始：8月上旬
ノミネート応募期限：11月上旬
11月：「観光特産大賞」決定
12月初旬：プレスリリース

日本観光特産大賞
www.jtmm.jp/award/

特産索引

※第1章・第2章で紹介した特産について収載しております。

204

参考資料

◆書籍

『マーケティング』恩蔵直人（日本経済新聞社）

『コトラー＆ケラーのマーケティング・マネジメント』
　フィリップ・コトラー／ケビン・レーン・ケラー（ピアソン・エデュケーション）

『図解ビジネス実務事典　マーケティング』井徳正吾編著（日本能率協会マネジメントセンター）

『経済学用語辞典』佐和隆光編著（日本経済新聞社）

『メディアづくり』小塩稲之（メッツ出版部）

『つくるから売れるへ』小塩稲之（ＴＡＣ出版）

『日本各地の味を楽しむ食の地図』帝国書院編集部（帝国書院）

『旅に出たくなる地図 日本』帝国書院編集部（帝国書院）

『事典日本の地域ブランド・名産品』（日外アソシエイツ）

『日本の名産事典』遠藤元男・児玉幸多・宮本常一（東洋経済新報社）

『食料産業クラスターと地域ブランド』斎藤修（農山漁村文化協会）

『加工特産品開発読本』鳥巣研二（プロスパー企画）

『地域ブランドと産業振興』関満博・及川孝信（新評論）

『シリーズ地域の活力と魅力 3 味わい』岩崎忠夫他（ぎょうせい）

◆雑誌

『ニュートップ L』（日本実業出版社）2010 年 2 月号〜 8 月号「販路コーディネータの目」

『月刊地域づくり』((財) 地域活性化センター）2005 年 10 月号「地域活性化センター２０年のあゆみ」

『月刊レジャー産業』（綜合ユニコム）1994 年 4 月号〜 1995 年 7 月号「企業の文化活動」

◆テキスト書籍

『全国セールスレップ商材扱い基準書』（セールスレップ協同組合）

『マネジメントマーケティング概論』（日本セールスレップ協会）

『セールスレップ概論』（日本セールスレップ協会）

『ビジネスプラン構築』（日本セールスレップ協会）

『店舗運営マニュアル』（ＴＫＫ）

『店舗創業マニュアル』（ＴＫＫ）

『販路コーディネータ資格認定公式テキスト』（日本販路コーディネータ協会）

◆論文

「新たなメディア社会に向けた企業の文化活動」文化経済学会高崎経済大学論文集　1997 年

「地域資源活用における販路開拓」(社) 日本経営士会論文集　2008 年

「『公的マネジメントマーケティング戦略支援』への取り組み　協同組合活動の課題」
(財) 商工総合研究所論文集　2009 年

「観光資源と地域特産の融合に関する提言」(社) 日本経営士会論文集　2010 年

◆ Web

特許庁　農林水産省　経済産業省　文部科学省

各都道府県、商工会議所、商工会のサイト

ウィキペディア（Wikipedia）

写真協力先一覧

青い森の写真館／青森県総合販売戦略課／秋田県観光課／味のくらや／厚岸観光協会／池田町ブドウ・ブドウ酒研究所／石川県／石崎初枝／伊勢崎市商工労働課／一休寺／茨城県観光物産協会／いわき市広報広聴課／岩国市観光振興課／岩手県観光協会／上野とうふ店／うつくしま観光プロモーション推進機構／宇和島市観光協会／愛媛県観光協会／大分県／大阪観光コンベンション協会／岡山県観光連盟／岡山市観光コンベンション推進課／小野商工会議所／香川県観光協会／香川県東京事務所／鹿児島県観光連盟／鹿児島市／金沢市／金沢市農産物ブランド協会／株式会社甘仙堂／株式会社五島軒／株式会社島安汎工芸製作所／株式会社常盤堂雷おこし本舗／株式会社ハマコク／株式会社船はしや総本店／株式会社丸夕 田中青果／株式会社やぶ屋／がんじゅう堂／岐阜県観光連盟／京極博／京丹後市役所／京つけもの大安／草津市観光物産協会／釧路観光協会／熊本県／熊本県物産振興協会／黒木栄一／群馬県観光物産課／高知県地産地消・外商課／高知市観光協会／五島市観光協会／埼玉県観光課／佐賀県観光連盟／佐賀県水産課／酒田市／札幌市観光コンベンション部／佐野市観光協会／ＪＡ全農あきた北／ＪＡ全農みやぎ／ＪＡ西宇和／ＪＡ夕張市営農推進課／静岡県温室農業協同組合／静岡県観光協会／島根県観光連盟／小豆島観光協会／白石市商工観光課／信州・長野県観光協会／世嬉の一酒造株式会社／宗家くつわ堂／太地町営国民宿舎白鯨／高崎弁当株式会社／田子町役場／館山市商工観光課／千葉県観光課／千葉県観光協会／ちんすこう本舗 新垣菓子店／徳島県観光企画課／栃木県観光物産協会／鳥取県広報課／富山県観光課／長崎県観光連盟／長崎県東京事務所／名古屋観光コンベンションビューロー／名古屋コーチン協会／新潟県観光協会／函館国際観光コンベンション協会／函館市水産課／播磨屋／ひょうごツーリズム協会／広島県／広島県農産課／広島市観光課／びわこビジターズビューロー／福井県観光連盟／福岡県観光連盟／福島市観光物産協会／ふらの観光協会／防府市観光協会／北海道観光振興機構／松江観光協会／松山観光コンベンション協会／丸市商事株式会社／まる八ふくれ菓子店／みうら漁業協同組合南下浦支所松輪販売所／三重県観光連盟／三重県組紐協同組合／三島市観光協会／宮城県石巻農業改良普及センター／宮城県観光課／都城圏域地場産業振興センター／宮崎県観光課／村上市観光協会／山形県／山形県観光物産協会／山口観光コンベンション協会／山口県うに協同組合／山口県物産協会／やまなし観光推進機構／山梨県水晶美術彫刻組合／結城市商工観光課／有限会社菅野房吉商店／有限会社早瀬幸八商店／有限会社葱常／有限会社松本／夕張酒造株式会社／横浜中華街発展会協同組合／和歌山県／和歌山市観光課（以上五十音順）

【編著者略歴】小塩稲之（こしお・いねゆき）

（一社）日本観光文化協会会長、セールスレップ・販路コーディネータ協会会長、（一社）販路コーディネータ協会理事長、高等学園理事、中小企業整備機構助成金評価委員、商工会議所シニアアドバイザー、商工会経営相談員、地方公共団体の商品開発プロデューサー。各都道府県の公的販路コーディネーター委員を歴任。

【執筆協力】全国観光特産研究会

石川哲次郎（販路コーディネータ）、大島猛（ビジネス・マネジメントアドバイザー）、大野成実（販路コーディネータ）、大山充（販路コーディネータ）、掛札彰久（販路コーディネータ）、北賢治（販路コーディネータ）、河野浩（セールスレップ）、清水一徳（販路コーディネータ）、下村豊（販路コーディネータ）、城月光男（販路コーディネータ）、菅野覚（販路コーディネータ）、住吉孝雄（販路コーディネータ）、豊田賢治（ビジネス・マネジメントアドバイザー）、野々村真生（販路コーディネータ）、原敦子（販路コーディネータ）、村田豊（販路コーディネータ）　※以上50音順

【連絡先】

〒 115-0055 東京都北区赤羽西 1-22-15　大亜コーポ

（一社）日本観光文化協会内　全国観光特産検定事務局

ＴＥＬ 03-5948-6581　https://www.jtmm.jp

●表紙・本文デザイン／雨宮　美帆子

かんこうとくさん
観光特産　日本の美味・名品を知れば旅が100倍楽しくなる!!

2024年 1月15日　初版　第1刷発行

編著者　小塩稲之
発行者　小塩稲之
発行所　MMPコミュニケーション
　　　　（一社）日本販路コーディネータ協会内

〒115-0055
東京都北区赤羽西1-22-15大亜コーポ
TEL 03(5948)6581
https://www.jmmp.jp/mmpc/

ISBN978-4-9913355-0-1
落丁・乱丁はおとりかえします。
PRITED IN JAPAN